KB219790

날마다 찬미예수 (500곡)

CcM²u

날마다 찬미예수 500곡은 . . .

- ♥ 한국교회의 청년과 장년들이 선호하는 복음성가 **베스트 500곡**
- ♥ **큰 글씨 큰 악보**로 누구나 보기에 편합니다.
- ♥ 수요예배, 금요철야, 주일찬양예배, 구역모임 등 여러 예배에서 은혜로운 찬양으로 사용할 수 있습니다.
- ♥ 목차에서 곡을 찾을 때는 곡의 제목분 아니라 가사첫줄만 알아도 쉽게 찾을 수 있습니다.
- ♥ **코드-가나다** 순서로 편집되어 있어 같은 코드의 곡을 쉽게 볼 수 있습니다.

Contents

Contents

인도와 보호

축복과 감사

은혜와 사랑

소명과 헌신

천국과 소망

거룩하신 성령이여

(Holy Spirit we welcome You)

Chris A. Bowater

거 룩 하 신 - 성 령 이여 - - -
우 리 에 게 - 임 하 소 서 -

성 령 의 - 불 - 로 오 셔 서 -

세 상 헛 된 마 음 태 우 소 서 -

손 들 고 - 주 를 바 랄 때 -

성 령 이 여 - - 성 령 이 여 -

성 령 이 여 - - 임 하 소 서 -

2 가난한 자와 상한 자에게

(한라와 백두와 땅 끝까지)

김웅래

가난 한자와 - 상한자에 -게 - 복된 소식을 -전케하 -소 -

서 - 포로 된자와 - -간힌자에 -게 - 은혜의 -해를 -전케하 -소 -

서 - 오직 성령이 - 내게 임 하면 - 권능
주님 의성령 - 내게 임 하사 - 성령

을 받고 - 증 -인되 리 라 예루 살렘과 - 온유 대 -와 - 사
의 기름 - 부어주소 서 - 주님 의성령 - 내게 임하사 - 성

마리아 -와 땅 -끝까 지 가난
령 의권 -능 부어주소 서

많은 물 들아 이제일 어 -나 - 주가 쓰 시는 - 반 석이 -되 -

라 많은 산 들아 - 이제선 포 하라 - 그리 심산과 - 에발산 -명령

가난한 자와 상한 자에게

C

살아 계신 – 하나님 – 말 씀 – – 임 – 하옵소

서 – 주 – 님의 성 령 – 하 – 늘가르 고 임하옵소서
서 – 성 – 령의단 비 – 이 – 땅한라 에 부어주소서

– – 불 – 어오소 서 성령의 바 – 람 – 구름 가
– – 내 – 려주소 서 성령의 불 – 을 – 이땅 백

– 르고 – 불어오 – 소 서 – 부 – 어주소 서 –
– 두에 – 내 려주 – 소

3 거리마다 기쁨으로

(Hear our praise)

Reuben Morgan

거리마 - 다 기 - 쁨으 - 로 -
- 앞에 - 행할 - 때 -

춤 을 추 - 게 하 - 시고 -
주 의 빛 - 비추 - 시고 -

주 의 백 - 성기 - 도할 - 때 -
물 이 바 - 다 덮 - 음 같 - 이 -

이 땅 회 - 복하 - 소서 -   산 위
주 영 광 - 채우 - 소서 -

에 서 -   계 곡 까 지 -   우리 찬양 -

울 리 네   하 늘 에 서 -   열 방

까 지 -   우 리 노 래 -   가 득 하 네

거리마다 기쁨으로

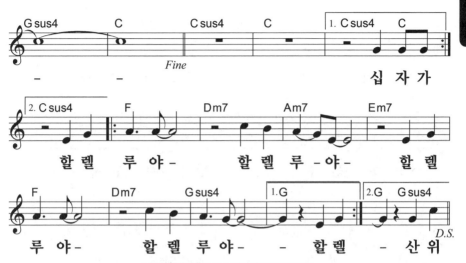

Gsus4   C   Csus4   C   1. Csus4   C

Fine

\- \- 십 자 가

2. Csus4   F   Dm7   Am7   Em7

할 렐 루 야 –   할 렐 루 – 야 –   할 렐

F   Dm7   Gsus4   1.G   2.G   Gsus4

D.S.

루 야 –   할 렐 루 야 –   – 할 렐   – 산 위

4 광대하신 주

(Mighty is our God)

Eugene Greco/Gerrit Fustafson & Don Moen

광대하 - 신 주 -　　　전능하 - 신 왕 -

전능 하 - 신 주 -　　　만물의주 - 관 자 -

하나님께 - 영 광 -　　　우리왕께 - 영 광 -

주님 께 - 영 광 -　　　만물의주 - 관 자　　온 세 상

Fine

위 - 에 -　　가장높으 - 신 그 - 이 름　　그 능 력

크 도다 -　만 물 을 창 조 - 하 셨 - - 네

D.C. al Coda

나는 순례자

JOYCE. LEE

6 나는 아네 내가 살아가는 이유
(불을 내려 주소서)

천관웅

C

태 - 우 소 - 서 부 - 으 소 - 서 성 - 령 의 - 불

을   불을 - 내 려주 - 소서 - 내게 -

성 령의 - 불 을 -   죽 어진 - 영혼 -   살

릴 수있 - 도 록 -   나를 - 태 워주 - 소서 -   제단 -

위 에나 - 를 드 - 리 니 -   열 방의 - 불 - 로

- 세 우 - 소 서 -   -

7 나를 위해 오신 주님

(사랑의 손길)

문찬호

나를위 해   오신주 님   나의죄를   위하여 서
이세상 에   오신주 님   나의죄를   위하여 서

유대민 족   들-에 게   잡히시 던 -- 그날밤 에
로마병 정   창과칼 에   찔리시 던 -- 그날오 후

아무런 말   도-없 이   우리에 게   사-랑 을
아무런 말   도-없 이   우리에 게   평-안 을

보여주 신   주님예 수   십자가를 -- 지-셨 네
약속하 신   주님예 수   십자가에 -- 못박혔 네

그러나 언 젠가 주님을 부인 하며 원망 하 고 있을때 에

나에게 오 셔서 사랑의 손 길로 어루만 지 셨 네

거절할 수 없어 외면할 수 없어 주님의 그 손을 잡았었 네

주님의 사 랑에 뜨거운 눈 물을 흘리고 야 말았 다 네

나에게 건강있는 것

(하나님을 위하여)

김석균

9 나의 만족과 유익을 위해
(Knowing You)

Graham Kendrick

나의 입술의 모든 말과

(Let the words of my mouth)

Joe Mackey

나의 입 술의 모든말 과 나의 마음의묵 상 이

주 께 열 납 되 기 를 원 하 네 -

Fine

생 명 이 - 되 신 주 -
소 망 이 - 되 신 주 -

반 석 이 - 되 신 주 -
능 력 이 - 되 신 주 -

D.C.

11 나의 하나님 나의 하나님

강태원

나의하 나님 나의하 나님 나와함 께하신하 님

주님 뜻 대로 살기원 하여이처럼 간구합니 다

아버지 아버지 죄인부 르신 아버지
아버지 아버지 나를구 하신 아버지

감사합 니다 감사합 니다 늘찬송 하게 하소서
감사합 니다 감사합 니다 이몸바 쳐살 렵니 다

아버지 아버지 은혜베 푸신 아버지
아버지 아버지 축복해 주신 아버지

감사합 니다 감사합 니다 영광받 아주 옵소 서
감사합 니다 감사합 니다 사명감 당케 합소 서

나의하 나님 나의하 나님 나의하 나님 아버지

감사합 니다 감사합 니다 진정감 사합니 - 다

나 지치고 내 영혼

(날 세우시네 / You raise me up)

Brendan Graham & Rolf Loyland

13 내가 걷는 이 길이

(하나님은 실수하지 않으신다네)

A.M.오버톤 & 최용덕

C / **Dm** / **G**

내가 걷는이길이 - 혹 굽어도는 - 수가 있어도 내 - 심장이울렁이고 -

C / **C7** / **F** / **C** / **Am**

가슴아파도 - 내 마음속 으로 - 여전히 기뻐하는까 닭은 - 하나

C / **G7** / **C(G)** / **C**

님은실수 - 하지않으 - 심일세 - - 내가세 운계획이 - 혹

Dm / **G** / **C** / **C7**

빛나갈지모르며 - 나의 희망 덧없이 - 쓰러질수있 지만 - 나

F / **C** / **Am**

여전히 인도하시는 주님을 신뢰하는 까 닭은 - 주께

C / **G7** / **F/C** / **C** / **F**

서내가 - 가야할길을잘아 - 심일세 - - 어두운밤 - 어둠이깊어

G / **C** / **F** / **C** / **D**

날이다 시는 - 밝지않 을것같아보여도 - 내 신앙부여잡고 - 주

내가 걷는 이 길이

님께 모든것 - 맡기리니 - 하나님을 - 내가믿 - 음일세 - 지금

은 내가볼수없 는것 너무많아서 - 너무 멀리 - 가물가물 -

어른거려도 - 운명 이여 - 오라 - 나 두려워 - 아니하리 - 만 -

사를 주 님께 - 내어 맡기리 - 차츰 차츰 - 안개는걷히고 - 하나

님 지으신 - 빛이 뚜렷이보이리라 - 가는 길이온통 - 어 -

둡게만보여도 - 하나 님은 - 실수하지않으신 - 다네 - 차츰

님은 - 실수하 지않으신 - 다 - 네 -

14 내가 산을 향하여

김영기

내가 산을 향하여- 눈을 들리라
내가 손을 들고서- 기도 하리라

나의 도움이 어디서 올-꼬
나의 응답이 어디서 올-꼬

천지 지으신 여호와- 나의 왕이여
전지 전능한 하나님- 나의 주시여

영원 무궁 히 지키시 리로다
나의 출입을 지키시 리로다

내가 처음 주를 만났을 때 　15

(주를 처음 만난 날)

김석균

내가 처음 주 를 만났 을 　때 외롭 고 도 쓸쓸한모 습 　－
내가 다 시 주 를 만났 을 　때 죄악 으로 몹쓸병든 몸 　－
내가 이 제 주 를 만남 으 　로 죽음 의 길 벗어나려 네 　－

말없 이 홀로 걸 어가신 길 은 영－광 을 다－ 버 린나그 네 　－
조용 히 내손 잡 아이끄 시 며 병－든 자 여－ 일 어나거 라 　－
변찮 는 은혜 와 사랑배 푸 신 그－분 만 이－ 나 의구세 주 　－

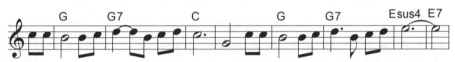

정녕 그 분이 내 형제구 원 했 나 나의 영 혼도 구 원하려 나 　－
눈물 흘 리며 참 － 회하였 었 네 나의 믿 음이 뜨 거웠었 네 　－
주예 수 따라 항 － 상살리 로 다 십자 가 지고 따 라가리 라 　－

의심 많 은 도 마처럼 울 었 네 내가 주를 처 음만난 날 　－
그러 나 죄 악 이나를 삼 키 고 내영 혼갈 길 을잃었 네 　－
할렐 루 야 주 를만난 이 기 쁨 영광 의찬 송 을돌리 리 　－

16 내 구주 예수님

(Shout to the Lord)

Darlene Zschech

내구주 예수님 주같은분 없-네 - 내평생에
위로자 되시며 피난처되-신주님 - 나의영혼

1. - 찬양하리 - - 놀라운주의사 랑 을

2. - 온맘다해 - 주를경배합 니 다

온땅이여 - 주님께 - 외쳐라 - - 능력과위 - 엄의왕

- 되신주 - 산과바다 - 소리쳐 - 주의 - 이름

을 - - - 높이리 - 주행한일 - 기뻐노

- 래하며 - 영 원히주님 - 을사랑 - 하리라 -

신실하신 - 주의약 - 속나받 - 았네 - -

내 안에 사는 이
(Christ in me)

Gary Garcia

내안에 사는 이 예수 - 그리 스 도-니

나의죽음 - 도 유익 - 함이 라

나의왕 내노 래 내생 명 - 또내기 쁨

나의힘 나의 검 내평 화 나의 주 -

18 내 영혼아 여호와를 송축하라
(Bless the Lord O my soul)

Pete Sanchez Jr.

내 영혼아 여호와를 송축하라

라 내영혼아 송축하라 내영혼아 내맘과
정 성다 해찬 양 해 -

19 내 입술로 하나님의 이름을

정종원

내입술로 - 하나님의 - 이 름을 - 찬송하며 -

황소를드림보 - 다 진정한예배를 기 쁘게받 - 아주시는 - 주님 -

내맘으로 - 하나님을 - 즐 겁게 - 찬양하네 -

찬송을부르며 - 영원히섬기리 주 님께 영 - 광돌리 - 리 -

할 렐루 - 야 - 할 렐루 - 야 - 할 렐루 - 할렐루야 -

할 렐루 - 야 - 할 렐루 - 야 - 할 렐루 - 할렐루야 -

눈을 들어 주를 보라

(See His glory)

Chris Bowater

눈을 들 –어 주를 보 –라 주의 영 광을 보 라

눈을 들 –어 주를 보 –라 주의 영 광을 보 라

주는빛 – 거룩과–진 리 능력의 – 주의 영광 나타나셨네 –

선포–하 라 선하–신 주 주의 인자는 영원함 이 –라

선포–하 라 선하–신 주 주의 인자는 영원함 이 –라

21 너는 담장 너머로 뻗은 나무

(아곱의 축복)

너 는 담장너머로뻗은 - 나무 가지
너 는 어떤시련이와 도 - 능히 이겨

에 푸른 - 열매처럼 - 하나님의 -
낼 강한 - 팔이있어 - 전능하신 -

1. 귀 한축 - 복 - 이 - 삶에 - 가득히 -

넘 쳐날 - 거 - 야 - 너 하나님 - 께 - 서

2. 너 하나님 - 께 - 서

- 너와 - 언제나 - 함 께하 - 시 - 니 -

- 너 는하나님의 - 사 - 람 - 아름다운하나

- 님 의 - 사 - 람 - 나 는걸위 - 해 - 기 - 도하며

너는 담장 너머로 뻗은 나무

Dm7	G7	C

\- 네 길 을 - 축 복 할 - 거 야　　너 는 하 나 님 의

G/B	Am7	Em/G	F

\- 선 - 물 -　사 랑 스런 하나 - 님 의 - 열 - 매 - 주 의 품 에

C/E	Am	Dm7	G7	F/C	C

\- 꽃 피 운 -　나 무 가 되 어 줘 -　　 -

22 능력 위에 능력으로

(He is able)

Rory Noland & Greg Freguson

능력 위에 - 능 력 으 - 로 - 나를 향한주뜻이 루시
고 - - - 능력 위에 - 능 력 으 - 로 - 내
앞의 일을주 - 관하시 네 - 능력 위 - 에 능 력
으 - 로 내 생각보다더크신 - - 주 님 - 능력
위에 - 능 력 으 - 로 주 뜻대로날빛 으소 서

능력의 이름 예수

(Jesus Your Name)

Claire Cloninger & Morris Chapman

능력의 이 - 름 예 - 수
치유의 이 - 름 예 - 수
거룩한 이 - 름 예 - 수

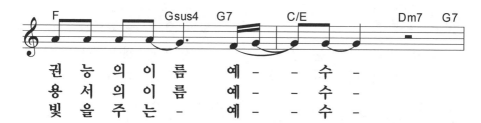

권 능 의 이 름 예 - - 수 -
용 서 의 이 름 예 - - 수 -
빛 을 주 는 - 예 - - 수 -

모 든 강 력 - - 을 - 파 하 는 예 - 수 -
자 유 주 시 - - 는 - 그 이 름 예 - 수 -
모 든 이 름 - - 위 에 뛰 어 난 예 - 수 -

생 명 되 신 - 예 수 -

24 매일 스치는 사람들

(주가 필요해 / People Need The Lord)

Phil McHugh & Greg Nelson

매일스 치는 사 람들- 내게무얼 - - 원하나-
캄캄한 -세 상에서- 빛으로 - -부 름받아-

공허한 그 눈 빛은 무엇으로 채우 나
잃어버린 자 들과 나누라고 하시 네

모두자 기 고 통과- 두려움 - 가 득
주의사 랑 으 로만- 사랑할 수있 네

감춰진울 음 소리- 주님들으시 네 - -
우리가나 눌 때에- 그들알 -겠 네 - -

그들은 모 두 주가필 요 해

깨지고 상 한 마음 주가여 시 네 - -

매일 스치는 사람들

그들은 모 두　주가 필 요 해
모 두 알 게 되 리　사 랑 의 주 님

25 먼저 그 나라와 의를 구하라

(Seek Ye First)

Karen Lafferty

먼 저그나 - 라와 의를구하라 그 나라와 - 그의 를
사 람이떡으로만 살것아니요 하 나님말 - 씀으 로
구 하라그리하면 주실것이요 찾 으라찾을것이 요

그 리하면 이 - 모 - 든것을 너희에게더 하시리 라
그 리하면 이 - 모 - 든것을 너희에게더 하시리 라
두 드리라 문이 열릴것이니 할 - 렐 - 루 할렐루 야

할 렐 루 야 할 렐 루 - 야

할 렐 루 야 할렐 - 루할렐루 야

무엇이 변치 않아
(십자가)

조은아

무엇이변 – 치 않 아 내 소망이 – 되며 –

무엇이한 – 결 같 아 내 삶을품 으 리 그 누가날 – 만

족 케해 – 내영이 – 쉬며 – 그 누굴 기 – – 다려 – 내

영이 기 쁘 리 – 십자가 – 십 자가 – 그 그늘아래 – 내

소망이있 – 네 십 자가 – 십 자가 – 그 그늘아 – 래 내

생 명 이 있 네 – – 주여

내영을고요케하사 – 십 자 – 가를 – 품 게하시면 – 주여

내영을잠잠케하사 – 십 자가로 – 만 족케하소 서

27 복음 들고 산을

(주 다스리시네 / Our God Reigns)

Leonard E Jnr, Smith

복음들고 산 을 넘는자 들의 발길

아름답고 도 아름답 도 다

평화전하 며 복 된소식 을 외 치네

주 다 스 리 시 네

주 다 스 리 시 네

주 다 스 리 시 네

비바람이 갈 길을 막아도

(주의 길을 가리)

김석균

29 사랑하는 나의 아버지

(Blessed be the Lord God Almighty)

Bob Fitts

사랑하는 나의 아버지 - 이 름높여드립 니 다

주의 나라 찬양속에 임하시니 - 능력 의 주께찬송하 네

전능하 - 신 하 나 님 찬 - 양 언 제나동일하 신 주 - -

전능하 - 신 하 나 님 찬 - 양 영 원 히다스리 네

Fine

나주의이름높 - 이 리 나주의이름높 - 이 리 - - -

하늘높이올린 깃 - 발 - 처럼 - - - 주의이름높 - 이 리전능하 - 신

D.S.

산과 시내와 붉은 노을과

(오셔서 다스리소서 / Lord, Reign in me)

Brenton Brown

31 살아계신 성령님
(Spirit of the living God)

Paul Armstrong

살 아계신 성 령님 날 붙드 - 소서

살 아계신 성 령님 날 살피소 서

채 우소 서 채 우소 서

성 령하나 님 새롭게 하소서

성도들아 이시간은
(기회로다)

성 도 - 들 아 이 시 간은 은 혜 받 을 기 회로 다
마 음 - 문 을 활 짝 열고 찬 송 하 며 기 도하 세
타 오 - 르 는 제 단 위에 모 든 죄 짐 던 지어 라
구 하 - 여 라 사 모 하라 겸 손 하 고 순 종하 라
내 일 - 아 침 있 다 해도 인 명 생 사 모 르나 니

성 령 - 님 의 은 혜 역사 우 리 위 에 임 하 셨 - 네
하 나 - 님 의 은 혜 말씀 왜 못 받 아 드 리 느 - 뇨
성 령 - 불 에 못 태 운죄 주 님 가 슴 태 우 누 - 나
은 혜 - 깊 은 하 나 님이 우 리 더 욱 사 랑 하 - 리
내 일 - 생 에 은 혜 기회 늘 있 는 줄 생 각 마 - 라

기 회 로 다 - 기 회 로 다 - 은 혜 받 을 - 기 회 로 다 -

믿 읍 시 다 - 받 읍 시 다 - 이 후 의 기 회 를 믿 지 마 라 -

33 세상에서 방황할 때

(주여 이 죄인을)

안철호

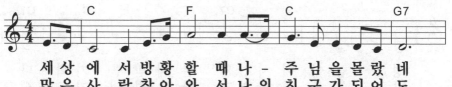

세상에서방황할때나-주님을몰랐네
많은사람찾아와서나의친구가되어도
이죄인의애통함을예수께서들으셨네
내모든죄무거운짐이젠모두다벗었네

내맘대로고집하며온갖죄를저질렀네
병든몸과상한마음위로받지못했다오
못자국난사랑의손나를어루만지셨네
우리주님예수께서나와함께계신다오

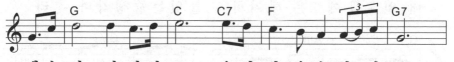

예수여이죄인도용서받을수있-나요
예수여이죄인을불쌍히여겨주-소서
내주여이죄인이다시눈물흘립-니다
내주여이죄인이무한감사드립-니다

벌레만도못한내가용서받을수있나요
의지할것없는이몸위로받기원합니다
오내주여나이제는아무걱정없습니다
나의몸과영혼까지주를위해바칩니다

심령이 가난한 자는

34

여명현

심령 이 - 가난한자 는 천국이 - 저희것이요
한 자복이있나 니 땅을기 업으로받겠네

애통하 - 는자는복있네 위로를 - 받을것이 요 온유
의에주 리고목마른자 는 저희배 - 부를것이

요 긍휼히 여기는자 는 긍휼히 여김받겠 네

마음이 청결한자 는 하나님 을볼 것이요

화평케 - 하는자 - 는 하나님의아들이라일컫 네

의를위 하여핍박받는 자 천국이 - 저희것이 라

내게도 주소서 내가복 을받기원하 네

오 - 내 - 주 - - 여 주소 - 서 아 - - - 멘

35 아름다운 마음들이 모여서

아름다운마음들이 모여 서 주의 은혜나누며 -
이다음에예수님을 만나 면 우리 뭐라 말할까 -

예수님을따라사랑 해야 - 지우리 서로 사랑 해 -
그때에는부끄러움 없어 야지우리 서로 사랑 해 -

하나님이가르쳐준 한가 지 - 네이웃을네몸과같 이

미움다툼시기질투버 리 고 우리 서로사랑 해 -

아무것도 두려워 말라

현석주

아무-것도 두려워말라 주 나의하나님이 지켜주시네 -

놀라지마라- 겁내지마라- 주님나를 지켜주시네 - -

내 맘이힘에겨워 지칠지라도 주님나를 지켜주시 네

세 상의험한풍파 몰아칠때도 주님나를 지켜주시 네 -

주 님은 나의산 성 주 님은 나의요 새

주 님은 나의소 망 나의힘이 되신여호 와

37 아주 먼 옛날

(당신을 향한 노래)

천태혁 & 진경

C2　C/B　Am7　Dm7　G

아주 먼 옛 - 날 - 하늘에서 - 는 -

CM7　Em7　Dm7　Gsus4　G7

당신을 향 - 한 - 계획 있었 - 죠 -

C2　C/B　Am7　Dm7　G

하 나 님 께 - 서 - 바 라 보 시 - 고 -

CM7　Em7　Dm7　Gsus4　G7

좋았 더라 - 고 - 말씀하셨 - 네 - -

FM7　G/F　Em7　Am7

이 세 상 그 무엇 - 보 - 다 - 귀 하게 -

Dm7　G　C　Bb/C　C7

나의 손 으로 - 창 조 하였 - 노 - 라 - -

FM7　G/F　Em7　Am7

내가 너로 - 인 하여 - 기 뻐 하 노라 -

Dm7　Gsus4　G　C　C/G　G7

내가 너 를 사 - 랑 하 노 라 -

아주 먼 옛날

사 랑 해 요 - 축 복 해 요 -

당 신 의 마 음 에 우 리 의 - -

사 랑 을 드 려 요 -

38 아버지 당신의 마음이

(하나님 아버지의 마음)

아버지 당신의– 마음이 있는곳에– 나의 마음이– 있기를

원해요– 아 버지 당신의 눈물 이고인곳에– 나의

눈물이– 고 이길 원해 요 아 버지 당신이 – 바라보는

영 혼에게 – 나의 두눈이 – 향하길 원해요– 아

버지 당신이울고 있는어두운땅에– 나의 두발이– 향하길원해

요 나의 마 음이아버지 의마음알아 – 내

모든뜻– 아버지의 뜻 이될수있기를– 나의 온 몸이아버지

의 마음 알아– 내 모 든삶– 당신 의 삶 되 기를 –

Copyright © 박용주&설경욱, Adm. by KCMCA. All rights reserved. Used by permission.

약한 나로 강하게

(What the Lord has done in me)

Reuben Morgan

약한- 나 로 강하게 가난 한 날 부하 게 눈먼-

날 볼 수있게 주내 게 행 하셨 네 - 호 -

산 나 호 - - 산 -나 죽임 당 한어린 양 호 -

산 나 호 - - 산 -나 예수- 다 시시사 셨 네 호 -

네 - 내가- 건 너 야할 강 거기서 내 죄 씻겼

네 이제- 주 의 사랑 이 나를 향 해흐르 네

- 깊은- 강 에 서주 가 나를일 으 키 셨도 다 구원의

노 래 부르 리 예수 자 유 주셨 네 -

40 어찌하여야
(나의 찬미 / My tribute)

Andrae Crouch

어찌하여야

바치리라 모두 나의일생을 당신께

세상영광 명예도 갈보리로 돌 – 려보내 리

그피로 날구하사 죄에서 건지셨 네

하나 님께영 광날사랑 하신 주

41 어두운 밤에 캄캄한 밤에

(실로암)

신상근

어두운 밤에 캄캄한 밤에 새벽을 찾
가 처음 만난 그 때는 차가운 새

아 떠난 다 - 종이 울리고 닭이 울 어도
벽 이었 소 - 당신 눈 속에 여명 있 음을

내 눈 에는 오직 밤 이었 소 - 우리 -
나는 느낄 수 - 가 있었 소

오 주 여 당신 께 감사 하 리 라 실로 암 내

게 주심을 - 나에게 영원 한 이 꿈

속 에서 깨이 지 않 게 하소서 -

언제나 내 모습
(주님 내 안에)

임미정 & 이정림

언제나 - 내모습 - 너무나 - 부끄러워 -

무릎으 - 로주님께 - 기도로 - 가오니 -

나홀로 - 서있는 - 죽은내영깨우 사

주님만 나 를 깨 워 내 영 살게 하소서 -

주님 내안에- 주님 내안에- 내 안에 계 시고 -

주님 내안에- 주님 내안에- 나를 세워주소서 -

43 얼마나 아프실까

송명희 & 김영석

얼마나 아프실 까 - 하나님 의마음 은 -

인간들 을 위하 여 아들 을 제물로 삼으실 때 -

얼마나 아프실 까 - 주님 의몸과 마 음

사람들 을 위하 여 십자가 에 달려 제물되 실 때 -

얼마나 아프실 까 - 하나 님 - 가슴은 -

독생자 주셨건 만 - 인간 들 부족하 다 원망할 때 -

얼마나 아프실 까 - 주님의 심 령은 -

자신을 주셨건 만 - 사람 들 부인하 며욕할 때 -

여호와 우리 주여

(시편 8편)

최덕신

여 호와우리주-여- 주의이름이- 온땅-에- 어

찌 그리아름다 운지요- 어 찌 그리아름다 운지요-

여 호와우리 주-여- 주의이름이- 온땅-에- 어

찌 그리아름다 운지요- 어 찌 그리아름다 운지요 -

Fine

주의손가락으로 지으 신 - 주 의하늘 과 -

주가베풀어주신 달과 별 - 내 가보오 니 -

사 람이 무엇 이관대- 주께 서저를- 생각 하 시며-

인 자가 무엇 이관대- 저 를 권고 하시 나이까-

D.S.

45 예수님 날 위해 죽으셨네

(왜 날 사랑하나)

Robert Harkness

예수님 날위해 죽으셨네 왜 날사랑 하 나 -
손과발 날위해 찢기셨네 왜 날사랑 하 나 -
내대신 고통을 당하셨네 왜 날사랑 하 나 -

겸손히 십자가 지시었네 왜 날사랑 하 나 -
고난을 당하여 구원했네 왜 날사랑 하 나 -
죄용서 받을수 없었는데 왜 날사랑 하 나 -

왜 날사랑 하 나 - 왜 날사랑 하 나 -

왜 주님 갈보리 가야했나 왜 날사랑 하 나 -

예수 사랑해요

(Jesus, I love You)

Jude Del Hierro

C

예 – 수 사 랑 해 요 나 주 앞 에 엎드려

경 – 배 와 찬 – 양 왕 께 드 리 네

알 – 렐 루 – 야 알 렐 루 – 야

알 – 렐 루 – 야 알 렐 – 루

47 오 하나님 받으소서
(Song of offering)

Brent Chambers

오 - 하 나님받 으소 서 왕께드 리는제 사 - 를

소 리높여 주님 을 찬 양 해 -

홀로 하 나이신 하나 님 자녀 된 우리경 배하 고

나 의몸과 찬양 을 - 드 리 네 -

할 렐 루 - 야 - 할 렐 루 - 야 -

입 술의열 매 를드 리 오 니 -

오 - 하 나님받 으소 서 왕께드 리는제 사 - 를

소 리높여 주님 을 - 찬 양 해 -

온 땅과 만민들아
(Let all the earth hear his voice)

Graham Kendrick

C

온 땅과 만민들 아 주님음성듣 고 모두기뻐하 라 -
땅들아기뻐하 라 죄인구하시 러 주님오신다 네 -
모두다소리높 여 주님찬 – 양 해 힘있게찬양 해 -

산 들과 나무들 도 즐겁게춤추 며 함께손뼉쳐 라 -
십 자가구원으 로 우린물리쳤 네 어둠의세력 을 -
외 치세온세상 에 열방과만민 을 주가통치하 네 -

사 랑과정의를 주시는주 영 원한그의나 라

좌 우에날이선 검과같은 진리의그분말 씀 -

- 승 리 해 - - -

49

완전한 사랑 보여주신

(예수 좋은 내 친구 / My Best Friend)

Joel Houston & Marty sampson

완전한사랑보여주신- 구세주그분아나요 그아들우리에게주신-
구원하신주나는믿네- 부활하신주나믿네 다시오실왕나는믿네-

하나님그분아나요 그사랑알 - 기에- 그아들나-는민-네
그분과영원히살리 그사랑알 - 기에- 그아들나-는민-네

날 이 끄 소 - 서 예수 좋은내-친구 - 내곁에계시네

- 영원히변 - 치않-네- 예수 좋은내-친구

- 내곁에계시네 - 영원히변 - 치않-네--

영원히변 - 치않-네 영원히변 - 치않-네-

- 영원히변 - 치않-네 영원히변 - 치않-네--

왜 나만 겪는 고난이냐고

(주님 손 잡고 일어서세요)

김석균

왜　　나만 겪는 고난이냐 고　 불 평 하지마세 요
왜　　이런슬픔 찾아왔는 지　 원 망 하지마세 요

고난의 뒤　편에 있는 주님이주실축 복 미 리 보 면서감사하세 요
당신이 잃　은것 보다 주님께받은은 혜 더욱 많 음에감사하세 요

너무 견 디 기 힘든 지금이순간에도 주님 이　일하고계시 잖 아요

남들 은　지쳐 앉아 있을지라도 당신 만 은 일 어서세 요

힘을 내　세요 힘을 내　세요 주님이 손 잡고계시잖아 요

주님 이 나와함께함을 믿 는다면 어떤 역경도 이길수있잖아요
주님 이 나와함께함을 믿 는다면 어떤 고난도 견딜수있잖아요

51 우리에겐 소원이 하나있네
(우릴 사용하소서)

김영표

우리 에겐소원이 – 하나있 네   주님 다시오 – 실 – 그날까 지

우리 가슴에 – 새긴 주의 십자가 – 사랑 나의 교회를 – 사랑케 – 하 네

주의 교회를향한 – 우리마 음   희생 과포기 – 와   가난과고 – 난 –

하물 며죽음조 – 차 – 우릴 막을수없네 우리 교회는 – 이땅의 – 희 망 교회를

교회되 – 게 – 예뻴 예배되 – 게 –   우릴 사용하 – 소 – 서 –   진정한

부흥의 – 날 – 오늘 임하도 – 록 –   우릴 사용하 – 소 – 서 –

Fine

성령안 – 에예배 하 리라 –   자유의 – 마음으 로

D.S. al Fine

사랑으 – 로사역 하 리라 –   교회는 – 생명이니 –   교 회를

우리의 만남은

(왕국과 소명)

윤건선

우 리의 만남 은   주 님의은혜라 오
우 리의 모든 것   주 여인도하소 서

우 리의 모임 은   주 님의축복이라 오
우 리의 모든 것   주 님께바치옵니 다

우리는 하 나님 영광 위 해   지 음받았으 니
오나의 하 나님 아버 지 여   당 신의뜻대 로

우리를 하 나님 나라 위 해   충 성되게하소 서
오나의 하 나님 아버 지 여   따 라살게하소 서

오 주 여나의소 명   항 상인도하소 서

오 주 여우리소 명   항 상인도하소 서

53

은혜로만 들어가네

(Only By Grace)

Gerrit Gustafson

은혜로만-들어가-네- 은혜로만-선다네-

우리의노-력이아-닌- 어린양의-보혈로-

그분의임-재가운-데-오라-하시네-

우리를부-르신그-곳-은헤로들어-가네-

주님의그-은혜- 범죄한우-리가어

-찌서리요 어린양의-보혈이-깨끗케-하시네

- 주님의그-은혜-

주님의-그은혜- 주님의그-은혜-

이 땅의 동과 서 남과 북

(한라에서 백두까지 백두에서 땅 끝까지)

54

C

55 이렇게 좋은 날

최택현

이렇게좋-은 날- 아름다운-우리의

만남을기뻐합-니다- 하나님의-사랑-

가득한오-늘이시간- 우리의만-남을-기뻐

해요- 때론 슬플때-도있--고- 견디기

힘들 때도있-겠 지-만- 우리 예수님-

당신과함-께-늘 동 행하셔--요-

이 험한 세상
(찬송하며 살리라)

56

C

정석진

이 험한세상 나 살아갈동안
내 작은손에 불 밝혀들고서

내 주님가신길 걸으며 내 주님을 찬양해 –
이 세상다시 오 시–는 내 주님을 맞으리 –

십 자가보혈 날 구한그사랑
내 무거운짐 다 벗겨주시고

나 매일찬송을 드려도 늘 부족한것 뿐이니
그 아름다운금 면류관 날 위해예비 하시리

나 호흡있는 동안에 – 나 생명있는 동안에 –

나 주를찬양 하리라 – 내게 생명주신 주님을

57

임마누엘

(Emmanuel)

Bob McGee

임 마 누 엘　임 마 누 엘
그 리 스 도　그 리 스 도
할 렐 루 야　할 렐 루 야

그 이 름 은　임 마 누 엘
그 이 름 은　그 리 스 도
찬 양 하 라　할 렐 루 야

우 리 와　함 께 하 네
우 리 를　구 원 하 신
하 나 님　찬 양 하 라

그 이 름 은　임 마 누 엘
그 이 름 은　그 리 스 도
찬 양 하 라　할 렐 루 야

있는 모습 그대로

오정훈

있는모습 그 대로 - 있 는모습 그 대로 -

있는모습 그 대로 - 오 시 오

하나님 은 당 신이 - 있는모습 그 대로 -

있는모습 그 대로 오시길 원 하십 니 다

59 저 높은 하늘 위로 밝은 태양

(나로부터 시작되리)

이천

저높은하늘위 -로- 밝은태양 - 떠오르듯이 -

난 주저앉지 - 않으리 - -

어떤어려움에 -도- 주의길을 - 선택하리 -

빛가운데로 - 걸으리 - - 주님을 -

크게보는 - 믿음가 -지고 - 세상에 - 나타내리라 -

놀라운 - 주의사랑을 - - 주의꿈을안고

- 일어 -나리라 -선한능력으로 - 일어 -나리라 - 이땅의부

-흥과 -회복은 - 바로 - 나로부터시작되리 - -

죄에 빠져 헤매이다가

(내게 오라)

권희석

60 C

죄에 빠 져 헤매 이다 가   지쳐 버린 나의 모습은
수많 은 사람 - 중에 서   주님 이날 부르 실때에

못견 디는 아픔 속에서   그렇게 쓰러 졌을 때
설레 이는 나의 마음 은   그렇게 기쁠 수없 네

아무 도 오는사람 이없 어   정말 로난 외로 웠 - 네
이제 나 도 - 주님 위하 여   내모 든것 다드 리 - 리

그때 주님 내게 찾아 와   사랑 으로 함께 하셨 네
내가 가진 모든 것들 을   아낌 없이 주께 드리 리

병 든자 여내 게오 라   가난 한자 내 게오 라
슬 픈자 여내 게오 라   괴로 운자 내 게오 라

죄에 빠진 많은 사람 들아 모두 다 내 게오 라
삶에 지친 많은 사람 들아 모두 다 내 게오 라

61 주께와 엎드려

(예배드림이 기쁨됩니다 / I will come and bow down)

Martin Nystrom

주 께 와 엎 드 려 경 배 드 립 니 다

주 계 신 곳 엔 기 쁨 가 득 -

무 엇 과 도 누 구 와 도 바 꿀 수 없 네

예 배 드 림 이 기 쁨 됩 니 다 -

주님 것을 내 것이라고

(용서하소서)

김석균

주님것을 내것이 라고 - 고집 하며 - 살아 왔 네
천한이몸 내것이 라고 - 주의일을 - 멀리 했 네
주님사랑 받기만 하고 - 감사 할줄 - 몰랐었 네

금은보화 자녀들 까지 - 주님 것을 내 것이라
주신이도 주님이 시요 - 쓰신 이도 주님이라
주님말씀 듣기만 하고 - 실행 하지 못 했었 네

아 버 지여 - 철없는 종을 - 용서 하 여주옵소서
아 버 지여 - 불충한 종을 - 용서 하 여주옵소서
아 버 지여 - 연약한 종을 - 용서 하 여주옵소서

맡 긴 사명 - 맡긴재 물을 - 주를 위 해쓰렵니 다
세 상 유혹 - 다멀리 하고 - 주의 일 만하렵니 다
주 님 명령 - 순종하 면서 - 주를 위 해살렵니 다

63 주님 다시 오실때까지

고형원

C　　　　G/B　Am　　　　　　　　　FM7　G　　　　　C

주 님 다시 오실 때 까-지 나-는 이 길을 가리 라

Am　　　　　　　Em　　　　　F　　　　　G7　　C　　G

좁은-문 좁은-길　나 의 십자가 지 고

C　　　　G/B　Am　　　　　　FM7　G　　　　　C

나 의 가는 이 길 끝 에-서 나- 는 주님을 보리 라

Am　　　　　　Em　　　　　F　　　　G7　　C　G/B

영광-의 내주-님　나 를 맞아 주 시 리

Am　　　　　　　　Em　　　　F　　　　G7　　　E/G#

주님 다시 오실 때 까- 지　나는 일어나 달려 가리라

Am　　　　　　　　Em　　　　F　　　Dm7　　Gsus4 G

주의 영광 온 땅 덮을- 때　나는 일어나 노래 하 리

C　　　　　　Am　　　　　F　　　　Gsus4 G

내 사모하는 주 님 - - 온 세상 -구 주시 라

C　　　　　　Am　　　　F　　G7　　C

내 사모하는 주 님 - - 영광의 왕이 시 라

주님 뜻대로

C

Norman Johnson

주님뜻 대 로 살기로 했 네 주님뜻 대 로 살기로 했 네
이세상 사 람 날몰라 줘 도 이세상 사 람 날몰라 줘 도
세상등 지 고 십자가 지 네 세상등 지 고 십자가 지 네

주님뜻 대 로 살기로 했 네 뒤돌아 서 지않겠 네
이세상 사 람 날몰라 줘 도 뒤돌아 서 지않겠 네
세상등 지 고 십자가 지 네 뒤돌아 서 지않겠 네

65 주님 뜻대로 살기로 했네

(돌아서지 않으리 / No turning back)

김영범

주님뜻 대로- 살기로 했 네- 주님뜻 대 로-
이세상사 람- 날몰라 줘도- 이세상 사 람-
세상등 지 고- 십자가 보네- 세상등 지 고-

살기로 했 네- 주님뜻 대 로- 살기로 했 네-
날몰라 줘도- 이 세상 사람- 날몰라 줘도-
십자가 보 네- 세 상등 지 고- 십자가 보 네

뒤돌아서 - -지 - 않겠네 - - - - 뒤돌아서 - -지

- 않 겠네 - 어떠한 시 련이-와 도 - 수많은
이 해못-하고 - 우리를

유 혹속-에 도 - - - 신실하 신 -주님- 약속 -나붙들 리라
조 롱하- 여 도 - - - 신실하 신 -주님- 약속 -만붙들 리라

1. G sus4 G   2. G sus4 G   4 C

- - 세상이 - 결코 돌아서지 않 으리

Word and Music by 김영범, © BEE COMPANY(www.beecompany.co.kr), All rights reserved, Used by permission.

주님의 시간에

(In His time)

Diane Ball

주님 의 – 시 간 에 –
기 다 려 – 그 때 를 –

그 의 뜻 이 뤄 지 리 기 다 려 –
그 의 뜻 이 뤄 지 리 기 다 려 –

하 루 하 루 살 동 안 주 님 인 도 하 시 니
주 의 뜻 이 뤄 질 때 우 리 들 의 모 든 것

주 뜻 이 룰 때 까 지 기 다 려 –
아 름 답 게 변 하 리 기 다 려 –

67 주님이 주시는 파도같은 사랑은

(파도 같은 사랑)

주님이 주시는　파도같은사랑은
주님이 주시는　솟아나는기쁨은
주님이 주시는　하늘나라평화는

내작은가슴에　흘러흘러넘쳐요
내작은가슴에　샘물처럼솟아요
내작은가슴에　깊이깊이흘러요

생각하면할수록　기도하면할수록

두눈가에눈물이　터질것만같아요

주님의사랑은　한없이크셔라
주님의기쁨은　끝없이새로와
주님의평화는　놀랍고놀라와

우리의영혼에　한줄기빛이어라
우리의삶속에　영원한향기어라
우리의마음에　빛나는보석이라

주님 한 분 밖에는

(나는 행복해요)

김석균

주님 한분밖에 는 아는 사람없어 요
주님 한분밖에 는 사랑 할이없어 요

가슴 깊이숨어 있 는 주를 사랑하는 맘
작은 가슴뜨거웁 게 주님 피가흘러 요

주님 한분밖에 는 기억 하지못해 요
주님 한분밖에 는 약속 한이없어 요

처음 주를만난 그 날 울며 고백하던 말
나를 믿고따르 는 자 반석 위에서리 라

나는 - 행복해 요 죄사 함 받았으 니

아버 지 품안에 서 떠나살 기 싫어 요

나는 - 행복해 요 사랑 이 샘솟으 니

이세 상 무엇이 든 채우고 도남아 요

69 주 안에 우린 하나

(기대)

천강수

주안에 우린하나 모습은 달라도 예수님 한

분만 바라네 사랑과 선행으로 서롤 격려

해 따스함 으로 보듬어-가리- 주님 우리안에

함 께 계시니- 형제자-매의- 기 쁨과슬-픔느끼네-

네안 에 있 는 주님모 습보네 그분기뻐하 시 네

주 님우릴통-해 계획하-신일-

부족한-입술로-찬양 하게하-신일- 주 님우릴통-해

계 획하-신일- 너 를통해하실일기대 -해-

주 예수 사랑 기쁨

(주님이 주신 기쁨 / Joy Joy Down In My Heart)

George W.Cooke

주예수 사 랑 기 쁨 내 마음 속에 내 마음 속에
이제는 정 죄 없 네 예수안에서 예수안에서
이제는 해 방 됐 네 예수안에서 예수안에서

내 마음 속에주예수 사 랑 기 쁨 내 마음 속에
예 수안 에 서이제는 정 죄 없 네 예 수안 에 서
예 수안 에 서이제는 해 방 됐 네 예 수안 에 서

내 마음속에 있 네 나는기 뻐요 정말기 뻐요 주
예 수안 에 서 없 네
예 수안 에 서 해 방

1. G   C C7   2. G   C

예수사랑기쁨내맘 에 나는기 예 수사랑기쁨내맘 에

71 주의 거룩하심 생각할 때

(주께 경배해 / When I look into Your holiness)

Wayne & Cathy Perrin

주의 거룩하심생 각 할때 - 주의 크신사랑느 낄 때

주의 영광의빛 나의 생활 비춰주 실 때 -

주가 주신기쁨맛볼 때 에 - - 주의 사랑속에나 잠길 때

주의 영광의빛 나의 생활 비춰주 실 때 -

경 배 하 리 - 경 배 하 리 -

나 사 는 동안 주 께 경 배 해 - -

경 배 하 리 - 경 배 하 리 -

나 사 는 동안 주 께 경 배 해 -

주의 신을 내가 떠나

(Psalm 139:7-14)

Kelly Willard

주 의신을 내가 떠 나 　 어디로피 - 하리 까

주는모든 - 것아 시 오-니 　 어디로다 - 니 리 까

내가 새 벽날 개 치며 - 　 저 바다끝에 - 거해 도

어둠도숨 - 기지 못하리라 - 　 주님의손 - 이날 인 도해 -

주님은내 - 모든것 - 을 - 　 지으신분 - 이시 니

주님의위 - 대하심 - 을 - 　 내가고백 - 하리 다

73 주 품에 품으소서

Reuben Morgan

주 품 에 품 으 소 서
주 님 안 에 나 거 하 리

능 력 의 팔 로 덮 으 - 소 - 서 -
주 능 력 나 잠 잠 히 - 믿 - 네 -

거친파도 날 향해 - 와도 - 주와함께 날 아 오 - 르리 -

폭풍가운 데 나의 - 영혼 - 잠잠하게 - 주를보 - 리라 -

찬양을 드리며

(Into Your Presence Lord)

Richard Oddie

찬 양 을 드 리 며   주 앞 에 옵 니 다

내 삶 을 드 리 네   두 손 들 고

주 경 배 드 릴 때   주 님 을 느 끼 네

내 눈 보 게 하 소 서   주 님 얼 굴 -

75 하나님의 음성을 듣고자

(시편 40편)

김지면

하 나님의음성을 듣고자 -기-도하면
주 를의지하-고 교만하 지않-으-면

귀-를 기울이고나의 기도를 들 어주신다- 네
거짓 에 치우치지아 니 하-면 복 이있으리- 라

깊 은웅덩이-와 수렁에 서끌어주시 고
여 호와나의주 는 크신 권 능의-주- 라

나의 발 을반석위-에 세 우시사 나를 튼튼히하셨 네
그의 크 신권능으-로우 리들을 사랑 하여-주시 네

새 노 래로-부르 자 라라라 하나 님 께올릴찬송을

새 노 래로--부르 -자 하나 -님-사랑을

하나님이시여

(주는 나의)

유상렬

하나님이시 – 여 하나님이시 – 여 주는 나의 하나님이 시 로 다

나의몸과마 – 음 주를갈망하 – 며 이제 내가 주께고백 하 는말

여호 와는 – 나의 빛 이요 – 여호 와는 – 나의 구원이시니 –

내가 누구를 – 두려워 하리요 – 여호 와는 생명의 피난처시니 –

주의 인자가 – 생명보다 나으므로 내 입술이 – 여호와를찬 양하리 –

내 평생에 – 주를찬양 하며 – 주의 이름으 – 로내손들리라 –

77 하나님 한번도 나를

(오 신실하신 주)

최용덕

하나님 한 번도 나를 - 실망시킨 적 없으 시고 -
지나온 모 든 세 월들 - 돌 - 아보 - 아 - 도 - -

언제나 공 평과 은혜 - 로 나를 - - 지 키 셨 네
그 어느 것 하나 주의 손길 안 미친 것 전혀 없 네

오 신실 하 신 주 오 신실 하 신 주

내 너를 떠나지도 않으리라 내 너를 버리지도 않으리라

약 속 하 셨던 주님 - 그 약 속을 지 키 사

이 후 로도 영원 토 록- 나를 지키시리라 확신하 네

할 수 있다 하신 이는

78

C

이영후 & 장욱조

할수있다 하신이는 나의능 력주하나 님

의심말라 하－시고 물결위 로오라하시네
나를바라 보－시고 능력준 다하－시－네
주저말라 하－시고 십자가 를지라하시네
변치말라 하－시고 성령충 만하게하시네

할수있 －다하신주 할수있 다하신 주

믿음만이 믿음만이 능력이라하시 네
사랑만이 사랑만이 능력이라하시 네
희생만이 희생만이 능력이라하시 네
성령만이 성령만이 능력이라하시 네

믿음만이 믿음만이 능력이라하시 네
사랑만이 사랑만이 능력이라하시 네
희생만이 희생만이 능력이라하시 네
성령만이 성령만이 능력이라하시 네

79 항상 진실케

(Change my heart, oh God)

Eddie Espinosa

항상 진실케 - 내맘바꾸사 -

하나님닮게 - 하여주소 서

주는 토 기 장이 나 는 진흙 -

날 빛으 소 -서 기 도 하 오 니

허무한 시절 지날 때

(성령이 오셨네)

김도현

허무한시절지날때 – 깊은한숨내쉴때 – 그런풍경보 –시며 –탄식
억눌린자갇힌자 – 자유함이없는자 – 피난처가되 –시는 – –성

하는분 –있네 – 고아같이너희를 – – 버려두지않으리 –
령님계 –시네 – 주의영이계신곳에 – 참자유가있다네 –

내가너희와영원히 – 함께하 –리라 – 성령이오 –셨네 –
진 –리 –의영이신 – 성 령이오 –셨네 –

성 – 령이오셨 네 – 내주의보내신 – 성 령이오 –셨네 –

우리인생가운데 – 친히찾아 –오셔서 – 그나라꿈꾸게하시 네

81 힘들고 지쳐

(너는 내 아들이라)

이재왕 & 이은수

힘들고지-쳐낙망 하고넘-어져- 일어날힘 전혀 없-을때 -에-

조-용히다가와- 손 잡아주시며- 나- 에게 말씀하시네-

나에 게실망하- 며- 내 자신연-약해- 고통 속에 눈물흘- 릴때 -에-

못자 국난그손길- 눈물 닦아주시며- 나- 에게 말씀 하-시네-

너 는내아들-이 라 오 늘날내가- 너를낳았도다-

너 는내아들-이 라 나의 사랑하는 내 아들이라-

Fine

언 제 나 변 함-없이 - 너 는 내 아들이라-

나의 십자가고통-- -해산의 그고통으로- 내가 너를 낳았으니-

D.S.

성령의 비가 내리네
(Let it rain)

Michael Farron

성 령 - 의 - - - 비가 내리네 -

하 늘 의 문 - 을 여 소 - 서 -

성 령 - 의 - - - 비가 내리네 -

하 늘 의 문 - 을 여 소 - 서 -

83 주님이 홀로 가신

(사명)

이권희

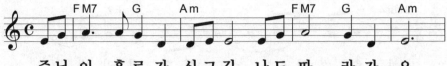

주님 이 홀로 가 신그길 나도따 라가 오

모든 물 과피를 흘리신 그길 을 나도- 가 오

험한 산 도 나는 괜찮소 바다 끝 이라도나는 괜찮소

죽어 가 는 저들 을위해 나를버 리 길바라 오

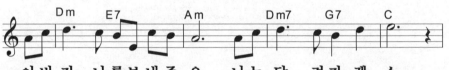

아버지 나를보내주 오 나는달 려가 겠 소
세상이 나를미워해 도 나는사 랑하 겠 소
생명을 버리면서까 지 나를사 랑한 당 신

목 숨도아끼지않 겠소 나 를 보내 주 오
세 상을구원할십 자가 나 도따라 가 오
이 작은나를받 아주오 나 도사랑 하 오

주여 우리의 죄를

(벙어리가 되어도)

문찬호

주 여우리의죄를 용 서하여주소 서
주 여우리의죄를 용 서하여주소 서

지 난날의잘못을 사 하여주옵소 서
지 난날의허물을 사 하여주옵소 서

주 여 주 여 나 의죄를위 - 하 여
주 여 주 여 나 의죄를위 - 하 여

주 여 주 여 십 자가를지셨 네
주 여 주 여 십 자가를지셨 네

주님가신그길을 나도걸어야하 네
나의생명다하여 주를위해살리 라

주님가신그길을 나도걸어야하 네
벙어리가되어도 찬양하며살리 라

85 하나님 우리와 함께 하시오니
(The Lord is present in his sanctury)

Gail Cole

하 나 님 우 리 와 함 께 하 시 - 오 니
리 가 모 일 때 임 하 시 는 - 주 님

주 를 찬 양 하 세 - 우 세
주 를 찬 양 하

찬 양 찬 - 양 주 를 찬 양 하 세 - - - - -

찬 양 찬 - 양 예 수 를 찬 양 하 세 -

호렙산 떨기나무에

김익현

호 렙산 떨기나 무에   나 타나신하나 님
불 꽃떨 기속에 계신   거 룩하신하나 님

모세를 부르신   주 -하-나 님 하나님
약하고 힘없 는   내백 성을찾으라 찾으라

내 가너와함께가 리라   너 를도와주리라
내 가너와함께가 리라   너 를도와주리라

고 통속에있는 내 백성   어 서찾아가라
억 압받고있는 내 백성   어 서구하여라

불 꽃떨 기속에 계신   거 룩하신하나 님

우 리를 부르신   주 하나님 하나님

87 갈릴리 바닷가에서

Alison Huntley

갈 릴 리   바 닷 가 에 서   -
사 마 리 아   우 물 가 에 서   -

주 님 은   시 몬 에 게   물 으 셨 네   -
주 님 은   여 인 에 게   물 으 셨 네

사 랑 하 는 시 몬 아   넌 날 사   랑 하 느   냐
사 랑 하 는 여 인 아   넌 날 사   랑 하 느   냐

오 주 님   당 신 만 이   아 십 니 다   -

감사해요 깨닫지 못했었는데 **88**

(또 하나의 열매를 바라시며)

설경욱

감사 해요 깨닫지못했 었는데 - 내가 얼마나 - 소중한존재

라 는걸 - 태초부터지금까지 하 나 님 의 사랑은 - 항

상 날향하고있었 다 는걸 - 고마워요 - 그사랑을가르

쳐 준당신께 - 주 께서허락하 - 신당신 께 그 리 스

도의사랑으 - 로더욱 섬 기며 - 이제 나도세 상에 - 전하리

라 당신 은 사랑받기 - 위 해 그리고

그사랑 - 전하기 - 위 해 주께서 택 하시고 - 이땅에

심 으셨네 또 하 나의 - 열 매를바라시 며

89 감사해요 주님의 사랑

(감사해요 / Thank you Jesus)

Alison Revell

감사 해 요 주님의사 랑 -

감사 해 요 주님의은 혜

목소리 높 여주님 을 영원히찬양해요

나 의 전부이신- 나의주 님 -

기도하세요 지금

김석균

기도하 세 요 -지 금   - 아직 포기하지 마 -세 요   -

주님앞에 무릎꿇 고   - 겸손 하게 기 도 해보세 요   -
주님앞에 무릎꿇 고   - 간절 하게 기 도 해보세 요   -

내 앞길 가로막 는 장애물있다해 도   걱정하지마세 요
하늘이 무너져도 절망하지마세 요   주님의지하세 요

돌아서지마세 요   슬픔도   고통도   괴로움 도
믿음을가지세 요   슬픔도   고통도   괴로움 도

기도로이겨낼 수 있잖아 요   - 기도하 세 요

기도하 세 요 주님은 당신 편입니 다   -

91

나는 믿음으로
(As for me)

Dan Marks

나 - 는 믿음으로 주 얼굴보리니

- 아침에깰 때에 주형상에만족하 - 리

나주님닮 기 원하 네 믿음으

로 주얼굴보 리 라 - 나 -

라 - 믿음으로 주얼굴보리라 -

나를 세상의 빛으로
(Light Of The world)

Scott Brenner

나 를세-상의빛 -으-로- 부르신- 주님 - 비추소서

- 나도주님의 - 빛을비추리라 - - - -어

둠 을밝 -히는빛 - 온 세상-을-비 -추는빛 - 산

위의-마-을이숨 -기-지-못-하- -네- 어 -

D

93

나를 지으신 이가

(하나님의 은혜)

조은아 & 신상우

나 무엇과도 주님을

(Heart and Soul)

Wes Sutton

나 무엇과 - 도 주님을 바 - 꾸지 - 않으리 -

다른 어떤 - 은혜 - 구 하지않 - 으리 - 오직

주님만 - 이내 삶에 - 도움이 - 시니 - 주의

- 얼굴 보기 - 원합니다 - 주님 사 랑 해요

- 온맘과 정성다해 - 하나님 - 의

신 실 - 한 친구되기 - 원합니다 -

95 나의 맘 받으소서
(My heart Your home)

Nathan & Christy Nockels

나의맘 받으-소-서 - - - 오셔서

주님의-처소삼으-소서 - 나의- 전부이 -신

주여내맘을 - 받아주소-서 - 나의맘

- 오 나의맘을 - - - - 주님께열었 - - - 으니

- 주여내게-오 - 셔서- 내맘에-거하 -여주-옵소-서 주가

기뻐하는- 주 의성전되게하소서 나의맘 - 주여내맘을

- 받아주소-서 - 주여내맘을 - 받아주소-서 -

내가 그리스도와 함께

박윤호

내가 그 리스도 와 함 - 께 십자가 에못박 혔나니 -

그런 즉 이 - 제 내가산 것아니요 오 직 내안 에

예수 께 - - 서 사 신 - 것 이 - 라 -

이제내 - - 가 육체가 운 - 데 사 는 것 은 - - -

나를사 랑하사 자기몸 버리신 예수 위 해산 것이 라 -

97 내게 있는 향유 옥합

(옥합을 깨뜨려)

박정관

내게있는 향유옥합 주께—가져 와

그발위에 입맞추고 깨뜨—립 니 다

나를위해 험한산길 오르—신 그 발
나를위해 십자가에 오르—신 예 수
주님다시 이땅위에 임하—실 그 때

걸음마다 크신사랑 새겨—놓 았 네
흘린피로 나의죄를 대속—하 셨 네
주의크신 사랑으로 날받아주 소 서

내 평생 사는동안

(I will sing)

Donya Brockway

99 내 평생 살아온 길

조용기 & 김성혜

너는 그리스도의 향기라 100

구현화 & 이사우

너는 그리스도의 - 향 기 라 - 너는 그리스도의 - 편

지 라 하나님 - 앞에서그-리 스도의 - 향기니- 너를

통해*생 명이-흘러가 리　너를 통해*생 명이- 흘러가 리

*| 사랑
　| 기쁨

101 너 어디 가든지 순종하라

(Wherever you may go)

Stephen Hah

너 어디 가 든지 순 종 하 라
너 어디 있 든지 충 성 하 라
주 너의 하 나 님 왕 되 신 주
영 원 히 주 님 만 찬 양 하 라

눈으로 사랑을 그리지 말아요 *102*
(영원한 사랑)

김민식

D

눈으로 사랑을 그리지 말아 요 입술로
사랑을 말하지 말아 요 영원한 사랑을
바라는 사람은 사랑의 진리를 알지요 -
참 사랑은 가난함도 부요함도 없어
요 - 괴로움도 즐거움도
주와 함께 나눠요 - 나의 - 가장 -
귀 한 것 그 것을 주는 - 거예요 -

103 눈을 들어

(Open your eyes)

Carl Tuttle

눈 을 들 어 영광의왕을 보 라

소 리 높 여 주를찬 – 양 하 라

사 랑 해 요 선 포 하 리

알 렐 루 – 야 주 송 축 해

당신은 사랑받기 위해 104

이민섭

당신 은 사랑 받 기위 - 해 태 어 난 사람 - 당신

의 삶 속에서 - - 그 사랑 받고있지요 - 당신 받고있지 - 요

태 초부터 - 시 작된 하나님 - 의 사 랑은 - 우리

의 만남 - 을 통해 열 매 를 맺고 - 당신 이 이 세상 - 에 존

재 함 으 로 인 - 해 우리 에 게 얼 마 나 - 큰 기 쁨 이 되 는지 -

당신은 사 랑받 - 기위해 태 어 난 사람 -

지금도그사랑 - 받고있지요 - 받고있지요 - 당신

105 때가 차매
(Now is the time)

때 가 차 매　　아 버 지 께　-

신 령 과 진 정 으로 예배 드 리 네 - -

때 가 차 매　　아 버 지 께　-

신 령 과 진 정 으로 예배 드 리 네 -

마음을 다하고

(여호와를 사랑하라)

106

D

107 모든 이름 위에 뛰어난 이름

고형원

모든 이름위 - 에 뛰어난 - 이 름　예수는 주　예수는 주

모두 무릎 꿇 고 경 배를 드리세 예 수 는 만유의 - 주 님

예수는 주　예수는 주　온 천 하 만물 우 - 러 러

그 보 좌앞 영 광을 돌리 - 세 예 수 예 수　예수는 - 주　 -

목마른 사슴

(As the deer)

108

Martin Nystrom

목 마 른 사 슴 시 냇 물 을 찾 아 헤 매 이 듯 이
금 보 다 귀 한 나 의 주 님 내 게 만 족 주 신 주

내 영 혼 주 를 찾 기 에 - 갈 급 하 - 나 이 다
당 신 만 이 - 나 의 기 쁨 또 한 나 의 참 보 배

주 님 만 이 - 나 의 힘 나 의 방 패 나 의 참 소 망

나 의 몸 정 성 다 바 쳐 서 주 님 경 배 합 니 다

109 사랑은 언제나 오래 참고

(사랑)

정두영

사랑은 언제나 오래참고 - 사랑은 언제나 온유하
사랑은 무례히 행치않고 - 자기의 유익을 구치않

며 - 사랑은 시기하 지않으며 - 자랑도 교만
고 - 사랑은 성내지 아니하며 - 진리와 함-

도 아니하며 - 사랑은 모든것 감싸주고 -
께 기뻐하네 -

바라 고 믿-고 참아내며 - 사랑은 영원토

록 변함없네 - 믿음과 소망과 사-랑은 -

이세 상 끝까지 영원하며 - 믿음과 소망

과 사랑중에 - 그중에 제일은 사랑이 라 -

사랑은 참으로 버리는 것 *110*

(사랑은 더 가지지 않는 것)

M. Reynold

사 랑은 참으로 *버리는것 - 버리는것 - 버리는것 -

사 랑은 참으로 *버리는것 - 더 가 지지않 는 것

이 상하 다동전한닢 움켜잡으면 없어 지고

쓰 고빌려주면풍성해져땅 위에 가득하 네 오 것

자 내일걱정일랑버 리고- -모 든 염려주 님께 맡기세요

사 랑은 참으로 버리는것 - 더 가 지지않 는 것

D

1. D

2. D

D.C.

111 사랑하는 주님

(베드로의 고백)

김석균

사랑하는주님 내게다가 와　이밤이다 가기전 에
멀리서들리는 닭울음소 리　나의영혼 잠깨웠 네

네가나를- 버리리라 하 실때　왜그리 섭섭하던 지
잊어버렸던 지난슬- 픈 고백　왜그리 부끄러운 지

주님과함께 죽을지라 도　배반하지는 않 겠다했 던
이세상어디 숨을곳있 나　닭울음소리 들 릴때마 다

믿음없는 나의헛 된 맹세　주님마 음 울렸었 네
사랑하는 나의주 님 모습　스치고 또 스쳐가 네

내가그를알 지 못하노 라　내가그를알지 못하노 라

내가그를알지 못하노라　부인하고 -돌아서서 한없이울었네- - -

내가주를잃 고 방황했 듯　주도나를잃고 슬퍼했 네
주님오실기 약 어찌잊 고　맡긴사명모 두 잊었던 가

하지만 - 나의 눈 물 보다　주님의 눈물 더 뜨거웠 네
지금도 - 새벽닭 울 때면　참회의 눈물로 회개하 네

사랑의 주님이

112

사 랑 의　주 님 이　날 사 랑　하시 네

내 모 습　이 대 로 -　받 으 셨 네　-

사 랑 의　주 님 이　날 사 랑　하 듯 이

나 도 너　를 사 랑　하 며　섬 기 리　-

113

선하신 목자

(Shepherd of my soul)

Martin Nystrom

선 하신-목자- 날 사 랑 하-는 분-

주 인 도 하-는 곳- 따 라 가 - -리

주 의 말-씀 을- 나 듣 기 위-하-여

주 인 도 하-는 곳- 가 려 네 네 나를

푸 른 초-장 과 - 쉴 만 한 물-가 로 -

내 선 하 신-목 자- 날 인-도 해 -

힘 한 산 과 골-짜 기 - 로 - 내 가 다 닐 찌-라 도 -

내 선 하 신-목 자- 날 인-도 해 -

성령이여 내 영혼을

114

이천

성령이여 -내 영혼을- 충만케 하소서 -

내 속에- 강물이 -넘쳐나 -게 - -

오 - 성령하나 -님 - -

날 - 다시새롭 -게- - 하소서 -

채 -우- 소서 - 내영혼이 세 -상-유혹 - 다이기고

다 -시- 주를 - 닮아가도 록 - 록 -
오 -직- 주만 - 나타내도

115 세상 권세 멸하시러

(For this purpose)

Graham Kendrick

세 상 권 세 멸 하 시 러
주 님 보 혈 권 능 으 로

주 님 이 땅 에 나 타 나 시 었 네
우 리 일 어 나 나 가 서 외 치 세

우 리 안 에 계 신 주 – 즐 겁
어 둠 의 세 력 들 은 – 모 두

게 찬 양 해 – 주 님 나 라 거 하 리 – 죄 악
물 러 갔 네 – 승 리 하 신 나 의 주 –

을 이 기 셨 네(할렐 루 야 이 기 셨 네)죽 음 을 승 리 로(할렐

루 야 승 리 로)모 든 질 병 고 치 셨 네(할렐 루 야 고 치 셨 네)

주 다 스 – 리 시 네 –

세상 부귀 안일함과

(주님 내게 오시면)

윤용섭

세상부귀안일함 과 세상근 심하다 가
세상일에얽매여 서 세상일 만하다 가
지금까지내가한 일 주님께 서보시 고

주님나를찾으시 면 어떻게만날 까
주님나를부르시 면 어떻게만날 까
훗-날에나를보 며 무어라하실 까

주님내게오시 면 나어찌대할 까

멀리방황하던-나 불-쌍한이죄인

이제주만생각하 며 세상근심버리 고
이제주만생각하 며 세상권세버리 고
이제주만생각하 며 세상영광버리 고

두손들고눈물로 써 주만따라가오리 다
오직주만바라보 며 주만따라가오리 다
십자가를내가지 고 주만따라가오리 다

D

117 신실하게 진실하게

(Let me be faithful)

Stephen Hah

신실하게 - 진실하게 - 거룩하게 살게 하소서

신실하게 - 진실하게 - 거룩하게 살게 하소서

하 나 님 - - - 나의 마음 - 만져 주소서 -
하 나 님 - - - 나의 기도 - 들어 주소서 -

하 나 님 - - - 나의 영혼 새롭게 하소서
하 나 님 - - - 주의 길로 인도 - 하소서

십자가 십자가 그 위에 118

박지영

D

십자 가 십자 가 그위 에 나죽었- -네-

그사 랑 내속 에 강같 이 흐르- -네-

그의생 명 내속 -에- 그의능 력 내안 -에-

그의소 망 내삶 -에- 나의삶 주의 -것-

십자 가 십자 가 그위 에 나죽었- -네-

그사 랑 내속 에 강같 이 흐르- -네-

119 아름다웠던 지난 추억들

(친구의 고백)

권희석

아름다 웠던 - 지난추억 들 - 사랑했었던 -
지난유 월절 - 저녁성찬 때 - 주님과함 께 -
새벽닭 울때 - 난괴로웠 어 - 풍랑이일 면 -

많은친 구들 - 멀고도험 한 - 고난의길 을 -
마시던 핏잔 - 그일이문 득 - 생각이나 면 -
난무서 웠어 - 하지만이 젠 - 두렵지않 아 -

나이제 말 없 - 이 주님을위 하 - 여 떠나야 지
어느새 내 뺨 - 에 주르르눈 물만이 흐릅니 다
이세상 끝 까 - 지 주님을위 하 - 여 죽을텐 데

수없이 많은 - 사람들위 해 - 당신이바 친 -

고귀한 희생 - 영원히 당신과 함께있 고 - 파

사랑의 십 자가 를 맞이하 네

아침 안개 눈 앞 가리듯 120

(언제나 주님께 감사해)

김성은 & 이유정

121 어느날 다가온 주님의

(고백)

김석균

어 느날 - 다가온 주 님의　이름을부 를수　없었어요

뜨 거운사 랑을　느꼈지만　부를수 - 없었 어 요

어 느날 - 다가온 주 님의　모습을쳐다볼수　없었어요

따 듯한사 랑을　느꼈지만　바 라보지못했어 요

비 우지못한　작 은가슴　당 신의사 랑은　너 무 커요

부 서지고　낮 아져도　당 신앞에 설수　없었어요

오 늘도 - 찾아온 주 님의　이름을불러봅니 다

부 를수록다정한　주 님모습　가 만히안아봅니 다

예수보다 더 좋은 친구 **122**

(나의 참 친구)

김석균

D

예수-　보다-　더좋은친구없 네　예수-　보다-
예수-　사랑-　참좋은예수사 랑　예수-　사랑-

더좋 은 친구없 네　괴로울때-　다가 와 서
참좋 은 예수사 랑　세상에서-　제일 가 는

마 음에평화주 는　신실하신 나의참친 구
금 으로유혹해 도　예수님만 사랑하겠 네

외로울때 -　찾아 와서 친 구가되어주 는
세상에서 -　제일 높은 명 예를준다해 도

사 랑많은 나 의참 친 구　　-
예 수님만 따 라가 겠 네　　-

주　　예 수 사랑하리 라　나 의생명

다할때까 지　　주 예 수 사랑하리 라

나 의 생 명 다 할 때 까 지　　-

123 예수 그 이름

(그 이름)

송명희 & 최덕신

예수 그 이름

밀 이라 - - 내 마 음 에 - 숨 겨 진 기 쁨 -

예 수 - 오 - - 그 이 름 - 나 는 말 할 수 없

네 - - - 그 이 - 름 의 비 밀 을

- - 그 이 - 름 의 사 랑 을 -

D

124 예수 이름이 온 땅에

김화랑

예수 이름이 온 땅에 - 온 땅에 퍼져 가 네
예수 이름이 온 땅에 - 온 땅에 선포되 네

잃어 버린 영혼 예수 이름 - 그 이름 듣고 돌아오 네 - -
하나 님의 나라 열방 중에 - 열방 중에 임하시 네 - -

예수 님 기뻐 노래하시리 잃어 버린 영혼 돌아올 때 - -
하나 님 기뻐 노래하시리 열방 이 - 주께 돌아올 때 - -

예수 님 기뻐 춤추시리 잃어 버린 영혼 돌아올 때 - -
하나 님 기뻐 춤추시리 열방 이 - 주께 돌아올 때 - -

예수 하나님의 공의

(This kingdom)

125

Geoff Bullock

D

예 – 수 – 하나님의공 의 –
예 – 수 – 하나님의사 랑 –

주독생 자 그의나 라 임하시 – 네 – –
주은혜 와 말씀으 로 나타났 – 네 – –

예 – 수 – 제물이되신 주 –
예 – 수 – 거룩한하나 님 –

영광중 에 그의나 라 임하시 – 네 –

주의 나라 영원 하며 – 그의 영광 무궁 하리 –

왕의 위엄과 – 능력 – 이 – 이제 임하 였 – 으니 –

주의 주권 과 – 주의 통치 와 – 주의 나라 힘 – 과권세

임하네 – 예 – 수 하 나님의 – 공 의

126 오 나의 자비로운 주여
(Spirit song)

John Wimber

오 나의 자 비 로 운 주여 나의 몸 과 영 혼
모 여 라 주 께 찬 양 하 라 나의 귀 한 친 구

을 주님은 혜 로 다 채 워 주 소 서
야 주이 름 앞 에 너 두 손 모 으 고

이 세 상 괴 롬 걱 정 근 심 주여 받 아 주 시
오 너 의 슬 픔 세 상 눈 물 너의 쌓 인 아 픔

고 험 한 세 상 에 서 인 도 하 소 서 -
을 십 자 가 앞 에 너 모 두 버 리 고 -

예 수 오 예 수 지 금 오 셔 서 -

예 수 오 예 수 채 워 주 소 서

오늘 집을 나서기 전 127

M.A. Kidder & W.O.Perkins

D

오 늘집을나서 기 전 기 도했 나 요
맘 에분이가득찰 때 기 도했 나 요
어 려운시험당 할 때 기 도했 나 요
나 의일생다하 도 록 기 도하 리 라

오 늘받을은총 위 해 기 도했 나 요
나 의앞길막는 친 구 용 서했 나 요
주 가함께당하 시 면 능 히이기 리
주 께맡긴나의 생 애 영 원하 리 라

기 도는우리의 안 식 빛 으로인도하 리

앞 이캄캄할때 기 도 잊 지마시 오

128 오라 우리가

(여호와의 산에 올라 / Come and let us go)

B. Quigley & M-A Quigley

오소서 진리의 성령님

(부흥 2000)

고형원

오소서진리의 성령님 – 이땅흔들며임 하소서 –

거짓과탐욕 죄 악에무너진 – 우리 가슴정케하소 서

오소서은혜의 성령님 – 하늘가르고임 하소서 –

거룩한불꽃–하늘 로서임하사 – 타오 르게하소서주영광위 해

부흥의불길–타오르게 하소서– – 진리 의말씀–이땅새롭게하소 서

은혜의강물– 흐르게 하소서– – 성령 의바람– 이땅가득불어 와

흰옷입 –은주의 순결한백성 주의 영광위해 이제일어 나

열방을 – 치유하 며행진하는 영 광 의그날을주 – 소 서

130 오직 예수 다른 이름은

(No other name)

Robert Gay

오직 예수 다른 이름 은 없네 주 이름 만 우리에게 주셨네 오직예수 다른이 름 없 — 네 오 영 —광과 존귀 권세 —와 —찬양 받 으 —실 분 오직 주 예 수 오직 예 수 온 땅 위에홀 —로 높으신 —이름 — 하 늘 위 높이 들 —리셨 —네 — 온 땅 위에홀 —로 높으신 — 이름 — 영 광과 존귀 와 찬양 드리 세 오직 예

오직 주의 사랑에 매여 131

고형원

오직 주의 사랑에매 여　내영 기뻐 노래합니 다

이소 망의언덕 기 쁨의땅 – 에 – 서　주께사랑드립니 다

오직 주 의임재안에간 혀　내영 기뻐 찬양합니 다

이소 명 의언덕 거 룩한땅 – 에 – 서　주 께경배드립니 다

주께 서 주신모든 은 혜　나 – 는 말할수없 네

내영 혼 즐거 – 이 주 따르렵 – 니다 – 주 께내삶드립니 다

132 오직 주의 은혜로

김영표

오직주의 - 은혜 로 지금여기 - 서 있 네

한없는 - 경배 한없는 - 찬양 내 영혼예배드 리 네

나를위해 - 이 땅 에 오신주의 - 그 은 혜

십자가 - 고통 이기신 - 주님 그 은혜어찌잊으리

주은혜 날채우시네 - 주은혜 보게하시네 -

살아 가는동안 - 은혜로만살리 - 십 자 가은혜 로 - - -

우리 모일때 주 성령 임하리 *133*

(As we gather)

Mike Faye & Tommy Coomes

우 리 모 일 때 - 주 성 령 임 - 하 리

우 리 모 일 때 - 주 이 름 높 이 리

우 리 마 음 모 - 아 주 를 경 배 할 때

주 님 축 복 하 - 시 리 - - 주 님 축 복 하 - 시 리

D

134 이 땅 위에

(신 사도행전)

김사랑

이 땅위에 - -하나님의 교회- 부 르심을-따라일-어나 -

거칠 은광야- -외-치는 소리로- 거듭거 듭 피어 나- 라

성 령이여 - -이세대를 향해- 주의 진리를- 선포케하-소 서

십자 가에서 - -죽으신그 사랑- 우리사 랑 되게 하소 서

닫힌 문들이 - 열릴지-어 다 모든 세대여- -일어나라 -

주 예 수께 - 무 릎꿇 -고 경 배드 - 리세 - 죽음

이 기신 - -평화의- 왕- - 성 령이-여

임 하 소 서 초대 교회 역사같은- 권 능 으 -로

이 땅 위에

모든 교회 일으켜주-소- 서- - 일 어 나- 라

빛 발 하 라 승리의기 높이들고- 전 진 하 라

주 님 오 실 길 - 예 비 하 라

135

이와 같은 때엔
(In moments like these)

David Graham

이와같은 때엔 난 노래하네

사 랑을 노 래 하 네 주 님 께

이와같은 때엔 손 높이 드네

손 높이 드 네주 님 께 － 주님

사 랑해요 － 사 랑해요 －

사 랑 해 요 주 님 사 랑 해 요 － 주 님 －

작은 불꽃 하나가

(Pass it on)

Kurt Kaiser

작은 불 꽃하나 가 큰 불 을일으키-어- -
이 돋아나 며 새 들 은지저귀-고- -
구 여당신 께 이 기 쁨전하 고싶소- -

곧 주 위사람 들 그 불 에몸녹 이듯이- -
꽃 들 은피어 나 화 창 한봄날 이라네- -
내 주 는당신 의 의 지 할구세 주라오- -

주 님 의사랑 이같이 한 번경 험하면- 그 의사랑
주 님 의사랑 놀라워 한 번경 험하면- 봄 과같은
산 위 에올라 가 - 서 세 상에 외치리- 내 게임한

모 두에게 전 하고싶 으리- - 새싹
새 희망을 전 하고싶 으리- - 친-
주 의사랑 전 하기원 하네- -

산 위 에올라 가 서 세 상에 외 치리-

내 게임한 주 의사랑 전 하 기 원 하네- -

D

137 주께서 주신 동산에

(땅 끝에서)

고형원

주 께서 주신동산 에 - 땀흘리 며 씨를뿌리 며
비 바람 앞을가리 고 - 내육체 는 쇠잔해져 도

내모든 삶을드리 리 - 날사랑하시 는 내주님 께 -
내모든 삶을드리 리 - 내사 - 모하 는 내주님 께 -

땅끝에 서 주님 을맞으 리 주 께드릴열 매 가득안 고 -

땅끝에 서 주님 을뵈오 리 주 께드릴노 래 가득안 고

- 땅의모 든 끝 찬 양하 라 - 주님오 실길

예 비하 라 - 땅의모 든 끝에 서 주님 을 찬 양하

라 - 영광의주 님 곧오시 리 라 -

주께 힘을 얻고

(축복의 사람)

설경욱

주께 힘을 얻고그 마음에 – 시온 의대로가있는그대는 –

하 나님의 – 축복 의사람이죠 – 주님 그대를 –너무기뻐하시죠 –

주의 집에거하기를사모 하 –고 – 주를 항상찬송하는그대는 –

하 나님의 – 축복 의사람이죠 – 주님 그대를 –너무사랑하시죠 –

그대 섬김은 –아름다운찬 송 그대 헌신은 – 향기로운기 도

그대 가 밟는땅 어디 에서라도 – 주님 의이름높아질거예 요

D

139 주 내 삶의 주인되시고

(Lord You are the Author of my life)

Judy Pruett

주 내삶의주 - 인되-시고 - 새로운일 - 이루-셨네
직 주님만이 - 내일-생과 - 내영혼의 - 주되-시네

- 주뜻이루 -려고- 날 예 정하-셨네 - - - -오
- 주말씀전 -하라- 날 선 택하-셨네

- - - - 주 의 능력으로 - 인도-하사 -

크신일 -을이-루소 - 서 의지합-니 다 -

주 의 얼굴만을 -찾으-리니 - 주여나 -와함-께하

- 사 주뜻 이 루 소 - 서

주님께 영광을

140

최덕신

D

주 님 께 영 - 광을 - 주 님 께 감 - 사 를 -

주 님 께 찬 - 양을 - 할 렐 루 야

- 우 리 의 젊 - 음을 - 모 두 다 바 - 쳐 서 -
- 우 리 의 가 - 진 것 - 모 두 다 바 - 쳐 서 -

주 님 을 사 - 랑 해 - 할 렐 루 야

141 주님 나를 부르셨으니

윤용섭

주님나 를부르셨으니 주님나 를부르셨으 니
주님나 를사랑했으니 주님나 를사랑했으 니
주님나 를구원했으니 주님나 를구원했으 니

내모든 정성내모 든 정성주만위 해바칩니 다
이몸바 쳐서이몸 바 쳐서주만따 라가렵니 다
소리높 여서소리 높 여서주만찬 양하렵니 다

주 - 님 주 - 님 나의기 도들으 - 사

영원토 록주님만 을 사모하 게하옵소 서
언제까 지주님만 을 사모하 게하옵소 서
할렐루 야주님만 을 사모하 게하옵소 서

주님 내가 여기 있사오니 142

(나를 받으옵소서)

최덕신

D

주님 내 가여기있 사오니 나를보 내소-서

나의맘 나의몸 주께드 리오-니 주 받으옵 소 서

주님 내 가여기있 사오니 나를써 주소-서

가진 것 모두다 주께드 리오-니 주 받으옵 소 서

할렐루 - 야 할--렐-루 - 야

할렐루 - 야 - - - - 할-렐루야 주님

야 나를받으옵 소 서 나를받 으

옵 소 서 -

143 주님 내게 선하신 분
(So good to me)

Darrell Evans & Matt Jones

주님 - 내게 선하-신분

고아같은나를구해 주의자녀 - 삼아 주셨네
매일아침마다주의 - 자비로 - 새생 명주네

주님 - 내게 선하-신 분 내

과거를던지 - 시고 내죄세지않 으시 - 네 -
주의손이내게계셔 내기쁨이주 께있 - 네 -

나 춤을추 네 나 주께 외 쳐 - -

나주께뛰 네 뛰어 돌며할렐루 야 -

선 하신분 (나 나 나 - 나) 선 하 신 분 (나 나 나 -

주님 내게 선하신 분

나) 선 하 신분 - 주 님

Fine

오 직 주 - 님 이 - 나를 구하 - 셨네

나 거 리에 - 서 도 - 찬 양 을 드 - 리리

D.S.

주여 진실하게 하소서 144
(I'll be true, Lord Jesus)

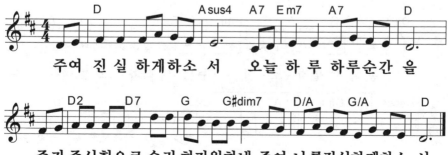

주여 진실 하게하소 서 오늘 하 루 하루순간 을

주가주신힘으로 승리 하기원하네 주여 나를진실하게하소 서

145 주님 말씀하시면

(말씀하시면)

김영범

주님 말씀하-시면 - 내가 나아가-리다 -

주님 뜻 이아-니면 - 내가 멈춰서-리다 -

나의 가 고서-는 것 - 주님 뜻 에있-으니 -

오주 -님- 나 를이끄-소 -서- 주님

뜻하 신 그 곳에 - 나 있 기원합-니-다 - 이끄

시 는-대로 - 순종 하 며살-리-니 - 연약 한내-영혼

- 통하 여일하-소-서 - 주님 나 라와- 그 뜻을위-하여

- 뜻하 오-주 -님- 나 를이끄-소 -서-

주님은 너를 사랑해 146

조환곤

주 님은 너를*사랑해 - 주님은 너를 사 랑해 -

우리를 사랑하신주 - 널사랑 해   주님은 너를사랑해 -

주 님은 너를 사랑해 - 우 리를 사 랑 하 신주 -

널 사 랑 해   주 님은 해

* 기 뻐 해
    위로 해

D

147 주님 손에 맡겨 드리리

(전심으로 / With all I am)

Reuben Morgan

주님손에 - - 맡겨드-리리 - - 나의-삶
주와함께 - - 걸어가리--라 - 모든길-을

- 주님께-- 주님손이 - - 나의삶붙드-네
- 주신뢰-해 주뜻안에 - - 나-살아가-리

- - -나주의-것 - 영원히 - - -
- - -주의약속-은 - 영원해- - -

내가믿-는분 - 예수 - 내가속-한분

- 예수 - 삶의이유되-시네 - - 내노래되-시네

1. - - 전심-으로 - -

2. - - 전심-으-로

3rd time To Coda

주님 손에 맡겨 드리리

경배하 - 리 - - 경배하 - 리 - 라

- - 경배하 - 리 - - 경배하 - 리 - 라

- - 경배하 - 리 - - -경배하 - 리 - 라

- 내 가 믿-는 분 - -전심-으로 - -

D

148 주님의 마음으로 나 춤추리

(주님의 춤추리 / Teach me to dance)

Steve A. Thompson & Graham Kendrick

주님의마 음으로나춤추 -리 성령의능 력으로따라가 -리
음으로사랑하 -리 주님약속 의말씀신뢰하 -리

주님의빛 가운데걸어가 -리 주님의마 음으로춤추리
다시오실 주님나바라보 -리 주님의마 음으로춤추리

- 주님의마 - 주는생명의근원 하늘과땅의주인
- 주님의마 - 매일의삶속에서 주님을위한사랑

주안에넘치는 기 -쁨 주님의아이되어 기쁨의 -춤추리
순종으로주께 드 -려 나의모든힘다해 주님께경배하리

주님의영광을 위 - -한 기 - -쁨 주님의마
나의모든것다 드 - -려 찬 - -양 주님의마

음으로춤추리 - 주님의마 음으로춤추리 -

주님의 성령 지금 이곳에 *149*

(임하소서)

송정미 & 최덕신

D

150 주 다스리네
(The Lord Reigns)

Dan Stradwick

주 다 -스리네 - 주 다 -스리네 -

주 다 -스리네 - 온 땅 기뻐해 - 온 땅 기뻐해

- 온 땅 기뻐해 - 만 백성 기뻐하 라

- 주 다스리 네 - 주 네 -

주 님 나 라 임 -했네 모 든 적 불 태 -우 네

악 한 세 력은 녹 네 주 님의 임재 앞 - 에

주 님의 임재 앞 - 에 - 주 네 -

주의 사랑을 주의 선하심을 151
(Think about His love)

Walt Harrah

D

152 주의 이름 안에서

(찬양의 제사 드리며 / We bring the sacrifice of praise)

Kirk Carroll Dearman

주의 이름안-에서- 주의 성소로-가네--- 영광 스러운-이곳-에
주의 말씀주-시고- 우리 감사드-리네--- 주의 날개그-늘밑--

우리 기쁘게-왔네---거룩 한보좌-앞에-서 따뜻 함을느-끼네---
우리 피난처-되네---주의 길을따-르며-- 우리 주께순-종해---

우리 마음경-배하-며 찬양의 제사드리네---
모든 상황속-에서-도 찬양의 제사드리네---

찬 양 의제사드리 며 -성소로 들어 갑니 다

찬 양 의제사드리 며 -성소로 들어 갑니 다

우리 모 두주님 께 -감사의 제 사를 드리세

우리 모 두주님 께 -기쁨의 제 사드리 네

주의 인자는 끝이 없고 **153**

(The steadfast love of the Lord)

Edith McNeill

D

주 의 인 자 는 - 끝 이 - 없 고
주 의 사 랑 은 - 끝 이 - 없 고
주 의 보 호 는 - 끝 이 - 없 고

그 의 자 비 는 - 무 궁 하 며 -
그 의 공 의 는 - 영 원 하 며 -
그 의 자 비 는 - 풍 성 하 며 -

아 침 마 다 새 롭 고 늘 새 로 우 니

주 의 성 실 이 큼 이 라

성 실 하 신 주 님 -

154 주의 임재 앞에 잠잠해

(Be Still)

David J. Evans

주 의 임재 앞에 잠잠해 주 여기계 시 네
주 의 영광 앞에 잠잠해 주 의빛비 치 네
주 의 능력 앞에 잠잠해 주 역사하 시 네

와 서 모두 굽혀경배해 신 령과진 리 로
거 룩 한 – 불태우시며 영 광의관 쓰 네
죄 사 하고 치유하시는 놀 라운주 은 혜

순 결 하 신 주님   거 룩 한 존 전 에
그 영 광 찬 란해   빛 되 신 우 리 왕
주 믿 는 자 에게   능 치 못 함 없 네

주 의 임재 앞에 잠잠해 주 여기계 시 네
주 의 영광 앞에 잠잠해 주 의빛비 치 네
주 의 능력 앞에 잠잠해 주 역사하 시 네

주의 자비가 내려와

(Mercy is falling)

David Ruis

주의자비 – 가내려 –와내려 – 와 주의자비 – 가봄 비 같이

주의자비 – 가내려 – 와나 를 덮 네 –

헤이 호 주의 자 비하 심 과 헤이 호 주의 은 혜 로

헤이 호 나는 영 원 히 춤 추 리 –

156 주 이름 큰 능력 있도다

(There is power in the name of Jesus)

Noel Richards

주 찬양합니다
(Ich lobe meninen Gott)

Cl. Fraysse Bergese

D

주 찬양합니 다 내 마 음을 다 해

1. 주 가 하신놀 라운 일 들을세 상에 모 두전 하 리 라

2. 내 가주 를 기뻐 하며찬양해 할 렐 - 루 - 야

지 극 히 높 으신 이름찬양해 할 렐 - 루 - 야

158 지금 우리가 주님 안에

(아름답게 하리라)

곽상엽

지금 우리가 - 주님안에하나가되어 - -

바로 주님이 - 원하시는뜻대 -로- -

주님의크신영광- 높이-는 노래가되어 -

온세상을- 아름답게하-리라 - - 지금 -

우리모 두가 - 주를노 -래하는 -

아름다운- 소리-로하나가되어 -

바로이 곳을 더욱아 름답게

아름답 게 하리라 - -

찬양의 열기 모두 끝나면 159

(마음의 예배 / The heart of Worship)

Matt Redman

찬양의열 기 - 모두끝나면 - 주앞에나 와 -
영원하신 왕 - 표현치못할 - 주님의존 귀 -

더욱진실 한 - 예배드리네 - 주님을향한 -
가난할때 도 - 연약할때도 - 주내모든 것 -

노래이상의노래 - 내맘깊은곳에 주께서원하신것 -

화려한음악보다 - 뜻없는열정보다 중심을원하시죠 - -

주님께드릴 맘 -의 예 -배 주 님을위한 -

주 님을향한 노 래 중심잃은예배내 -려놓 -고

이제 나돌아와 - 주 님만예배 해 요 -

160 천사의 말을 하는 사람도

(사랑의 송가)

Tina Benitez

천 사 의 말 을 하 는 사 람 도 사 랑 없 으 면
진 리 를 보 고 기 뻐 합 니 다 무 례 와 사 심
지 금 은 희 미 하 게 보 이 나 그 때 는 주 를

소 용 이 없 고 심 오 한 진 리 깨 달 은 자 도
품 지 않 으 며 모 든 것 믿 고 바 라 는 사 랑
맞 대 고 보 리 하 나 님 나 를 알 고 계 시 듯

울 리 는 징 과 같 네 -
모 든 것 덮 어 주 네 -
우 리 도 주 를 알 리 -

하 나 님 말 씀 전 한 다 해 도 그

무 슨 소 용 있 나 - 사 랑 없 으 면

소 용 이 없 고 아 무 것 도 아 닙 니 다 -

탕자처럼 방황할 때

161

(탕자처럼)

김영기

탕자 처럼 방 황 - 할 때 도 애타게 기 다리 는 -
불순종한 요 나와 같 이 도 방황하 던 나에 게 -
음탕한저 고 멜과 같 이 도 방황하 던 나에 게 -

부드런 주 님의음 성 이 내 맘을 녹 이셨 네 -
따뜻한 주 님의손 길 이 내 손을 잡 으셨 네 -
너그런 주 님의용 서 가 내 맘을 녹 이셨 네 -

오주님 나 이제갑 니 다 날받아 주 소 - 서 -

이제는 주 님만위 하 여 이 몸을 바 치리 다 -
이제는 주 님만위 하 여 이 생명 바 치리 다 -
이제는 주 님만위 하 여 죽 도록 충 성하 리 -

D

162 평안을 너에게 주노라

(My peace I give unto you)

Keith Routlege

평안을 너에게 주노라 -

세상이 줄 - 수 없 - 는 -

세상이 알수도 없는평 - 안

평 - - 안 평 - - 안

평안을 네게 주노라 -

할 수 있다 하면 된다

(할 수 있다 해 보자)

윤용섭

163

할수있 다 하면된 다 해 보 - 자

믿 는 자에 게 능치못함이 없 으리 라

나 는부족해도　나 는약해도　주님 도와 주신 다
믿 음가지고 -　꿈 을가지고　주님 바라 보아 라
기 도하면서 -　찬 양할때에　주님 함께 하신 다

의 심말고　두 려워말라　좋 은일일어난 다
성 령님이　도 와주신다　좋 은일일어난 다
할 렐루야　할렐루 - 야　기 적이일어난 다

말씀안에서　믿 음안에서　할수있다해 보 자

164 하늘의 해와 달들아

(호흡이 있는 자마다)

김세영

하 늘의- 해 와 달-들아 - -
산과- 넓 은 푸른바다 - -

소리 높여 찬 양 하-여라 - -
모두 주를 찬 양 하-여라 - -

나 팔 소리- 비 파와수금으로 - -
호 흡이-- 있 는-자-마다 - -

춤 추 -며 찬양 하-여라 - 험한
여 호 와를 찬양 하-여라

세 상 모든 사 람 들아 주 를 찬양하라 -

살 아 계 신 나의하나 님을- -

세 상 모든 사 람 들아 주 를 찬양하라 -

하늘의 해와 달들아

살아계신 너의하나 님을 -

호 흡이 - 있는자 - 마다 - -

여 호 와를 찬양하 - 여라 - -

D

165 난 지극히 작은 자

(십자가의 전달자)

전영훈

난지 극히작은자 죄인 중에괴수 무익 한날 부르셔 서

간절한 기대와소망 부끄 럽지않게 십자 가 전케하셨 네

어디 든지가리라 주위 해 서라면 나는 전하리 그십자 가

내몸 에벤십자가 그보 혈 의향기 온세 상 채울때까 지

살아 도주를위해 죽어 도주를위해 사나 죽으나 난주의 것

십자 가 의능력 십자 가 의소망 내안 에주만 사시는 것

D.C. al Coda

네 내사 랑 나의 십자 가

너의 가는 길에

(파송의 노래)

166

고형원

167 너의 푸른 가슴 속에

고형원

너의푸른가슴-속 에 십자가의 - 흔적있다 면
너의뛰는가슴-속 에 하늘의불 - 타고있다 면

주위해이제일-어 나 너의 믿음 주께보-이 라
그나라그영광-위 에 너의 삶을 주께드-려 라

오 랫동안-꿈꿔왔 던 그나 라 이제곧오-도 록

우리주의 - 은혜의 강 - 이땅 휩쓸며 - 흐르도 록

하나 님의눈물을-가진자 일어나- - 주님 을 따 르라 -

너의 십자가지고-주님을 따르면- - 온세 상 주 영광보-겠 네

Fine

Bridge

너의삶을불태워 주를섬겨라- 주의 영광 나타나-겠 네

오 래황폐한이땅 꽃을피워라- 주의 향 기 가득하-겠 네

D.C.

감사함으로 그 문에 들어가며 *168*

(He has made me glad)

Leona Von Brethorst

감사 함으로 그 문에 들어가– 며 그의 궁전 에들어 가

주께 감사드리며그 이름–을 송 축할–지 어– 다

주님의기쁨 내게임하네 나 항상기쁨안 에서 주 찬 양

E

주님의기쁨 내게임하네 나 기쁜찬송주께드리 네

169 기뻐하며 승리의 노래 부르리

(We will rejoice)

David Fellingham

기뻐하며 승리의 노래 부르리

기뻐외치며 -주께두손들리- -

춤을추며 -왕께찬양해- -

모든원수를 -멸하신주님- -

전능의왕 -함께하시네 -

E

170

나를 지으신 주님
(내 이름 아시죠 / He knows My Name)

Tommy Walker

나를 - 지으 신 주님 -　　내안 - 에계셔 -
그는 - 내아 - 버지 -　　난그 - 의소유 -

처음 - 부터 내삶은 -　　그 의 손에 - 있었죠 -
내가 - 어딜 가든지 -　　날 떠 나지 - 않죠 -

내이 - 름아 - 시죠 -　　내모 - 든생 - 각도 -

내흐 - 르는 - 눈물 -　　그 가 닦아 - 주셨죠 -
아바 - 라부 - 를때 -　　그 가 들으 - - 시죠 -

나를 향한 주의 사랑 **171**

(산과 바다를 넘어서 / I Could Sing Of Your Love Forever)

Martin Smith

E

나를향한-주의-사랑 - 산과바다-에넘-치네 - 내마음열때주님

나에게참자유주-셨네 -늘진리속-에거-하며 -나의손을-높이-들고

-언제나주님의사 랑을노래하 리- 주의사랑노래 -하-리-라-

영원토록노래 -하-리-라- 주의사랑노래 -하-리-라-

1. 영원토록노래 -하-리-라- 2. 영원토록노래 -하-리-라-

내가춤-을 출 때 다 비웃겠 - 지만 - -

그들도주-알 게되면- 함께 기뻐-춤-을추게 -되리-

영 원 토 록 노 래 - 하 - 리 - 라 - -

172 나의 등 뒤에서

(일어나 걸어라)

최용덕

나 의등 뒤에 서 나를 도 우시는 주
나 의등 뒤에 서 나를 도 우시는 주
나 의등 뒤에 서 나를 도 우시는 주

나 의 인생 - 길에 서 지치 고 곤하 여
평안 히길 - 을갈 땐 보이 지 않아 도
때 때 로뒤돌아보 면 여전 히 계신 주

매 일 처럼 주저 앉고 싶을 - 때 나를 - 밀어주시 네
지치 고곤하여 넘어 질때 - 면 다가 와손내미시 네
잔 잔 한미소로 바라 보시 - 며 나를 - 재촉하시 네

일 어나 걸 어라 내가 새 힘을주리 니
ㅇ ㅇ야! 일어 나라 주께 서새힘주리 니

일 어나 너걸 어라 내너를 도 우리

나의 마음을

(Refiner's Fire)

Brian Doerksen

173

E

174 나의 발은 춤을 추며

나의 발은춤을추며나의 손은손뻗치며나의 입은기뻐노래부르 네

나의 발은춤을추며나의 손은손뻗치며 나의 입은기뻐노래부르 네

내가 주께 찬양 해   내가 주께 찬양 해

내가 주께 찬양 하 며   주 사랑해

나의 부르심
(This is my destiny)

Scott Brenner

176 나의 사랑하는 자의 목소리

(나의 사랑 나의 어여쁜자야)

이길로

나의 사랑하는자의목소 - - 리 - 듣기원 - 하 - 네

나 의사랑 나의 어여쁜 - 자 - 야 바위 틈은밀 - 한곳에 - - 서 -

듣기원 - 하 - 네 부드 러운 주님의 - 음 성 나의

성 나의 사랑 - 나의사랑 - 나의 어여쁜 - 자 - 야

일 어 - 나함 께가 - 자 나의 사랑 - 나의사랑 - 나의

어여쁜 - 자 - 야 일 - 어나 - 함 께 가 자

나의 주 나의 하나님이여 *177*

(Adonai, my Lord my God)

Stephen Hah

나의 주 나의하나 님 이여 　 주 를경배합니 다

주 사 랑하는나의 마 음을 주께 서 아시 나이 다

Fine

깨 뜨 릴옥합내게 없 -으며 주께 드 릴향유없지 만
고 통 속에방황하 는내마음 주- 께 로갈수없지 만

하 나 님형상대로 날빚으사 새 영 을내게부어 주 소- 서 나의
저 항 할수-없는 그은혜로 주 님 의길을걷게 하 소- 서 나의

178 날마다 숨쉬는 순간마다

(Day by day)

Arr. PD. Berg Sandell & Ahnfelt Oscar

날마 다 숨쉬는순간 마다　내앞 에 어려운일보 네
날마 다 주님내곁에 계 셔　자비 로 날감싸주시 네
인생 의 어려운순간 마다　주의 약 속생각해보 네

주님 앞 에이몸을맡 길 때　슬픔 없 네두려움없 네
주님 앞 에이몸을맡 길 때　힘주 시 네위로함주 네
내맘 속 에믿음잃지 않 고　말씀 속 에위로를얻 네

주님 의 그자비로운 손 길　항상 좋 은것주시도 다
어린 나 를품에안으 시 사　항상 평 안함주시도 다
주님 의 도우심바라 보 며　모든 어 려움이기도 다

사랑 스 레아픔과기 쁨 을　수고 와 평화와안식 을
내가 살 아숨을쉬는 동 안　살피 신 다약속하셨 네
흘러 가 는순간순간 마 다　주님 약 속새겨봅니 다

내가 어둠 속에서

179

문경일

내가 어둠-속에서- 헤맬때에도- 주님 은 함께계 셔
내가 은밀한곳에서- 기도할때도- 주님 은 함께계 셔
힘이 없고-연약한- 사람들에게- 주님 은 함께계 셔

E

내가 시험-당하여- 괴로-울때도- 주님 은 함께계 셔
내가 아무도모르게- 선한일할때도- 주님 은 함께계 셔
세상 모든-형제와- 자매-들에게- 주님 은 함께계 셔

기뻐찬양하네 할렐루 할 렐루 야 할렐루 할렐루 야

우 리 모 두 찬 양 할 렐 루 할 렐 루 야 - - -

주님 나 와 함 께 계 시 네 -

180 내 갈급함

신수경 & 윤주형

내 갈급함 - 어느 것 으로 - 채울 - 수없 - 네
내 갈급함 - 부르 짖 는소 - 리들 - 으소 - 서

내갈급함 - 상한 나의심 - 령에 - 음성들 - 리네 -
내갈급함 - 주의

내 게로나 - 오 - 라 - - 영원히 - 영 원히 -

목 마름전 - 혀 없으리 - 내 게로나 - 오 - 라 - -

가 까이 - 가 까이 - 생 수의근 - 원 되신주께

가 까이 - 가 까이 - 생 명의근 - 원 되신주 - 께 -

- - - -

내 마음을 가득 채운

(Here I am again)

Tommy Walker

내마음을가득채운 주향한찬양과사랑 어떻게표현할수
수많은멜로디와 찬양들을드렸지만 다시고백하기원

있 나 　수많은찬양들로 그맘표현할길없어
하 네 　주님은나의사랑 삶의중심되시오니

다시고백합 니 다 - 　주 사 랑 해요
주를찬양합 니 다 -

온맘다하여 　말 로다-할수-없 어- 오 주

사 랑해 요 찬양받아주소서 - 　-

last time Fine

주님사랑다시고백 하는새날주심감사 해 - - 요 -
주님사랑다시고백 하는찬양주심감사 해 - - 요 -

E

182 내 영이 주를 찬양합니다

정종원

내 주 같은 분 없네

(There's no one like You)

Eddie Espinosa

내주같-은 분 없-네 - 그어-느누 구-도- -

내생명-다 하 도-록 - 주얼굴-만 구 하-리- -

내주같-은 분 없-네 - 그어-느누 구-도- -

내주같-은 분 없-네 - 이땅-위 -에-

오 하- 나 님 - 주나의모-든 -것- -

내주같-은 분 없-네 - 이땅-위 -에----- -

오 하- 나 -님- - - 주나의모-든 -것-

내주같-은 분 없-네 - 이땅-위 -에- -

E

184 너 근심 걱정와도

너 근심걱정 와도 - 어려운일당 해도 -

걱정말아 라 주너를지 키리 -

위험한일당 해도 - 슬픈일이 와도 -

걱정말아 라 주너를지 키리 -

늘지켜주 시리 - 주님의 사랑속에거하 라

- 그의 평화속에유하라 - 그분의 영원속에자유하라

- 주지 키 리 - 주지 키 리 -

너는 시냇가에 심은   *185*

박윤호

너 - 는 시냇가 에 심 - 은 - 나무 라
주의 시 절을좇 아 구원열 매맺으 면

하나 님 의 사랑안 에 믿음 뿌 리내리 고
주의 영 화로운 빛 - 너를보 호하리 니

주의 뜻 대 로 주의 뜻 대 로 항 - 상 사세 요
주의 뜻 대 로 주의 뜻 대 로 항 - 상 살리 라

당신은 하나님의 언약안에   *186*
(축복의 통로)

이민섭

당신은 - 하나님 - 의 언약 안에 - 있는축복의 - 통 로

당신을 - 통하여 - 서 열방이 - 주께 - 돌아오게되 리
주께 - 예배하게되 리

187 당신은 알고 있나요

(그사랑)

정현섭

당신은– 알 –고 – 있나요　　우리를위한 그사 랑
당신은– 느끼고 – 있나요　　우리를위한 그사 랑

당신은– 알 –고 – 있나요　　십자가의 그사 랑
당신은– 느끼고 – 있나요　　십자가의 그사 랑

그 　사 　랑 　　당신 마음깊은곳그곳에 있 으리

그 　사 　랑 　　험한 세상한가운데 있나 니 　–

그사 랑– 깨달아 – 아나요　　당신과나를 용서 한

그사 랑– 당신의 – 마음속에　　항상함께 하리 라

두려운 마음 가진자여 188

(주 오셔서 구하시리 / He will come and save you)

Bob Fitts & Gary Sadler

두려운마음- 가 진-자 여- 놀라-지말라 - - -
상한마음- - 가 진-자 여- 낙망-치말라 - - -

주 너의하 나님 - 강한손 으로- - 주이름부를때 - -
주 너의하 나님 - 사랑의 팔로- - 주이름부를때 - -

E

주님구하시리 - 주오셔서 구 하-시리 - 주오셔서

구 원하-시리 - 약한자들 -에게 강한능력 -으로 주오셔서
눈을들어 -보라 회복의능 -력을 주오셔서

구 원하- -시리 - 주오셔서 구 원하- -시리 -

189 두 손 들고 찬양합니다

(I lift my hands)

Andre Kempen

두 손들고　찬양 합니다　다시 오실왕

여 호와께　오직 주만이　나 를 다스리 네　－

나 주님만을 섬 기리　－　헛된마음 버 리고　－

성 령이여 내 영혼　－　충만하게 하 소서　－

주 님앞에 내생 명 드리리 라　－

매일 주와 함께 190

(Sweeter)

Israel Houghton, Meleasa Houghton &
Cindy Cruse-Ratcliff

E

191 부서져야 하리

(깨끗이 씻겨야 하리)

김소엽 & 이정림

부서져야 하리 - 부서져야 하리 -

무너져야 하리 - 무너져야 하리 -

깨져야 하리 - 더많이깨져야하리

씻겨야 하리 - 깨끗이씻겨야하리

다버리고 다고치고 겸손히 낮아져도

주앞에서 정결타고 자랑치못할거예요 -

부서져야 하리 - 무너져야 하리 -

깨져야 하리 - 깨끗이씻겨야하리

빛 되신 주

(Here I am to Worship)

Tim Hughes

E

빛 되신주 어둠 가 운데비추사　내 눈보게 하소 -서 -
만 유의주 높임 을 받으소 - 서　영 광중에 계신 -주 -

예 배하는 선한 마 음주시 - 고　산 소망이 되시 - 네 -
겸 손하게 이땅 에 임하신 - 주　높 여찬양 하리 - 라 -

나 주를경배　하 리 엎드려절 하 며 고백해주 나 의 하나님

Fine

- 오 사랑스런 주님 존귀한예 수 님 아름답고 놀라우신주 -

다 알수 　- 없네- 주의 -은혜- 내죄 - 위한- 주십

1. A　　　　2. A　　　　　　　B7 D.S. al Fine

- 자 가 -다 알수　- 자 가 -　　　나 주를경배

193

빛이 없어도

(주 예수 나의 당신이여)

이인숙 & 김석균

빛이 없어도 환하게 다가오시는 주 예수 나의 - 당신이 여
나는 없어도 당신이 곁에 계시면 나는 언 제나 - 있습니 다

음성이 없어도 똑똑히 들려주시는 주 예수 나의 - 당신이 여
나 - 는 있어도 당신이 곁에 없으면 나는 언 제나 - 없습니 다

당신이 있음으로 나도 있 고 - 당신의 노래가 머묾으로

나는 부를 수 있어요 주 여 - 꽃처럼 향기나는 - 나의 생 활이 아니어 도

나는 당 신 이 좋을 수 밖에 없어요 주 예 수 나의 당 신이 여

사랑해요 목소리 높여
(I Love You Lord)

194

Laurie Klein

사 랑 해 요 - 목 소 리 높 여 -

경 배 해 요 내 영 혼 기 뻐 -

오 나 의 왕 - 나 의 목 소 리 -

주 님 귀 에 곱 게 곱 게 울 - 리 길 -

E

195 손을 높이 들고
(Praise Him on the trumpet)

John Kennett

손을높이들고 주를찬양 - 높은곳을향해 주를찬양 - -

모 든 만 물 들 은 주 를 찬 - 양 하 라 -

왕 의 왕 되 신 예 수 - 다 스 리 시 는 예 수 -

생 명 있 음 을 찬 양 해 -

할 렐 루 야 주 를 찬 양 - 할 렐 루 야 주 를 찬 양 - -

생 명 있 음 을 찬 양 해 - 찬 양 해 - 을 찬 양 해 -

아바 아버지

김길용

아 바 아버 – 지 – 아 바 아버 – 지

나를 안으시 – 고 바 라 보 – 시는 아 바 아버 – 지 –

아 바 아버 – 지 – 아 바 아버 – 지 나를 도우시 – 고 힘주시 – 는

아 버 지 주는 내 맘 – 을 고 치 – 시 고

볼 수 없 는 상 – 처 만 지 – 시 네 나를 아 – 시 고

나를 이 해 하 – 시네 – 내 영 혼 새롭게 세 우 – 시 네

197 어두워진 세상 길을

(에바다)

고상은

예수 가장 귀한 그 이름 198

(예수 귀한 그 이름 / The Sweetest Name Of All)

Tommy Coomes

| E2 | F#m7 | B7 | A/E | E | B/D# |

예수 가장 귀한그－이름　예수　언제나 기도들－으사
예수 찬양 하기원－하네　예수　처음과 나중되－시는
예수 왕의 왕이되－신주　예수　당신의 끝없는－사랑

| C#m7 | F#m7 | B7 | E2 |

오 예수 나의손 잡아주시는가장 귀한 귀한그－이름
오 예수 날위해 고통당하신가장 귀한 귀한그－이름
오 예수 목소리 높여찬양해가장 귀한 귀한그－이름

E

예수 이름 찬양 199

(Praise the name of Jesus)

Roy Jr. Hicks

| E | G#m7 | A2 | B9 | E | G#m7 | A2 | B9 |

예 수 이 름 찬 양　예 수 이 름 찬 양

| A | E/G# | A | E/G# | A | E/G# | F#7 | B7 |

내 반 석　나의산－성　나 의 구 원 자 주 의 지 하 리

| E | G#m7 | A | B7 | E |

예 수 이 름 찬 － － 양

200 예수님 그의 희생 기억할 때

(다시 한번 / Once Again)

Matt Redman

예수 님 - 그 의희생기억할때 자기몸버 - 려 -
이제 는 - 저 높은곳에앉으신 하늘과땅 - 의 -

죽으신주 - 나항상 - 생 명주신그은혜를마
왕되신주 - 나이제 - 놀 라운구원의은혜 -

음에새겨 - 봅니다 - 마 음에새겨 - 봅니다 -
높여찬양 - 하리라 - 높여찬양 - 하리라 -

주달리신십자가를 내가볼때 - 주 님의자비내마음을 겸손케해 -

주께감사하며 내생명주께드리네 -

감사드리리 주의십자가 나의친구되신 주 주

예수님 목마릅니다

(성령의 불로 / Holy Spirit Fire)

Scott Brenner

1. 예 수 님 목 - 마 - 릅 - 니 - 다 - -
   주 님 을 사 - 모 - 합 - 니 - 다 - -
2. 불 같 은 사 - 랑 - 드 립 - 니 다 - -
   이 세 상 어 - 느 - 것 - 보 - 다 - -

오 시 어 기 - 름 - 부 - 으 - 소 서 -
오 셔 서 채 - 워 - 주 - 소 - 서 -
나 의 간 구 - 를 - 들 - 으 - 소 서 -
주 님 을 의 - 지 - 합 - 니 - 다 -

성 령 의 - 불 - 로 -   성 령 의 - 불 - 로 -
성 령 의 - 불 - 로 -   성 령 의 - 불 - 로 -

임 - 하 - - 소 서 -   임 - 하 - - 소 서 -
기 름 부 - 으 소 서 -   기 름 부 - 으 소 서 -

E

202 예수님이 좋은걸

이광무

예 수님이 좋 - 은 - 걸 어 떡합 - 니 까 -

예 수님이 좋 - 은 - 걸 어 떡합 - 니 - 까 -

세 상에 어 떤것 과 바 꿀수 - 없 네 -

예 수님이 좋 - 은 - 걸 어 떡합 - 니 - 까 -

왕의 지성소에 들어가 203

(왕의 궁전에 들어가 / Come Into The King's Chambers)

Daniel Gardner

왕 의 지성소에 들어가 보 좌 앞에엎드려경 배-해

왕 의 지성소에 들어가 주의 영 광뵈오- 리

오 거 룩하신주님 앞에서 주 이 름높이 리

왕 의 지성소에 들어가 영화 롭 게변하 리

E

204 오늘 내가 미워한 사람이 있고

(오늘 내가)

김석균

오늘 - 내 - 가미워한 사람이있고   오늘 - 나 - 와다 - 툰
오늘 - 나 - 의마음은 재물이있고   오늘 - 나 - 의생각은
오늘 - 하루의시작은 기도로하고   오늘 - 말씀의은혜로

사 - 람있 으며   오늘 - 내 - 가시기한 사 람있 - 으니
자녀에있 으며   오늘 - 나 - 의발길은 세 상향했으니
하 - 루를살고   오늘 - 내입이하나님 찬 양을 - 하면

난 주님을사 랑안한사 람   나를 - 미워한사람을
난 주님을사 랑안한사 람   나의 - 생각은항 - 상
난 주님의사 랑받을사 람   나의 - 형 - 제에 - 게

용서 - 못 했고   내게 - 화 - 낸사람을 이 - 해못 했고
주님 을앞 섰고   나의 - 찬양은항 - 상 빈마음이 었고
사랑을베 풀고   나의 - 이 - 웃에 - 게 복음을전 하고

나를 - 시기한사람을 싫 - 어했 - 으니   난주님을사랑 - 안한사
나 의 - 생활은언제나 감사를잊었으니   난주님을사랑 - 안한사
나 의 - 자녀를위하여 기 - 도를 - 하면   난주님의사랑 - 받을사

오늘 내가 미워한 사람이 있고

람　　　　매 일 – 이렇게 – 살아 가 면 서
람　　　　매 일 – 이렇게 – 살아 가 면 서
람　　　　매 일 – 이렇게 – 살아 간 다 면

입술론 – 주님을사 – 랑 한 다하니　난 　 – 참으로
입술론 – 주님을사 – 랑 한 다하니　난 　 – 참으로
주님의 – 신실한청지기 될 것이니　주 　여 내삶을

E

행함이없는사람　주님을 – 사 랑 안한사 람
믿음이없는사람　주님을 – 사 랑 안한사 람
인 – 도하 – 소서　주님의 – 제 자 되렵니 다

205 우리에게 향하신

김진호

우리에게향하신 여호와의인자하심이
우리에게향하신 여호와의진실하심이
우리에게향하신 여호와의계획하심이

크 - 고 크 도 다 크 - - 시 도 다 - -
영 - 원 영 - 원 하 - - 시 도 다 - -
놀 랍고 놀 랍 다 놀 라우시도다 - -

크 - 고 크 도 다 크 - - 시 도 다
영 - 원 영 - 원 하 - - 시 도 다
놀 랍고 놀 랍 다 놀 라우시도 다

우리 함께 기도해

고형원

우 리   함께기도 해   주앞에나 - 와 -

무릎꿇고 - 긍 휼 베푸시는주 하늘을향 -해 -

두손들고 - 하늘문 - 이열 리고 - 은 혜의빗 줄기 - 이

땅 가득내리 도 록   마 침내 - 주오셔서 - 의

의 빗 줄기 - 우 리 위에부으시도 록

207

우리 함께 기뻐해

(Let us rejoice and be glad)

Gary Hansen

우리함께 - 기뻐 - 해　　주께영광 - 돌리 -

세　어린 양의 혼 - 인잔 - - 치와 - 신부

가 준비 - 되었 네 - -　　할렐루 야 전능

하신 주 - 가 다 스 리 네　　할 렐루 야 전능

하신 주 - 가 다 스 리 - 네　　네

위대하고 강하신 주님

(Great and Mighty is the Lord our God)

Mariene Bigley

위대 하 - 고강하 신 주님 - 우리 주하나 님

위대 하 - 고강하 신 주님 - 우리 주하나 님

깃발 을높이들고 흔 들며 - 왕께 찬 양 해

위대 하-고강하 신 주님 - 우리 주하나 님 - - - - -

위대 하 -고강하 신 주님 - 우리 주하나 님

209 이 날은 주가 지으신 날
(This is the Day)

Rick Shelton

이날은주-가지으-신 날- 기뻐하고-즐거워-하세 오

이날은주-가지으-신 날- 기뻐하고-즐거워-하세 주

를 - 기뻐 하 라 - 주 를 - 기뻐하

라 - 우 리모-두 주 -님앞에서 기

뻐 하며-주 를 -찬 양- 존 귀하-신 우 -리주님을 기

뻐 하며-찬 양 -하 세- 주 라 - 주 를

전심으로 주 찬양

210

(주의 찬송 세계 끝까지)

고형원

전 심으로주찬 양　주의 이름높 - 이올려드리 세

위 대하신하나 님　온땅 위에높 - 이올려드리 세

주 의영광은 - 하 늘위에높고 주의 찬송은세계 끝까 지 - -

주 의영광은 - 모 든나라위에 주의 찬 송은세계끝 - 까 지

좋으신 하나님

211

(God is good)

Graham Kendrick

좋 으 신 하 나 님　좋 으 신 하 나 님
우 리 의 기 도 를　응 답 해 주 시 는
한 없 는 축 복 을　우 리 게 주 시 는

참 좋 으 신 나 의 하 나 님

212 존귀 오 존귀하신 주

(Worthy is the Lord)

Mark Kinzer

존 귀 오 존 - 귀하 - 신 주 -

감사찬양 과 - 경배 - 다 받으실주 님 - - - - -

존 귀 오 존 - 귀하 - 신 주 -

감사찬양 과 - 경배 - 다 받으실주 님 -

찬 양 할 렐 루 - 야 - 보 좌위 어 린 양께 -

우 리 경 배 하 - 며 - 영 광돌 리 네 -

할 렐 루 - 야 - 우 리 왕 께 영 - 광 -

주는승 리 의 용 - 사 - 또 만 유 의 주 님 -

좋으신 하나님 인자와 자비 *213*

(You are good)

Israel Houghton

좋으- 신하나 - 님 인자 - 와자비 - 영 원 - 히 - -

각나 - 라족속 - 과 백성 - 방언 세상 - 모든세 - 대 영원 - 토록주

경 배 - 해 - 할렐루 - - 야 할 - 렐루 - - 야주

경 배 - 해 - 주 하나 - 님 - 주

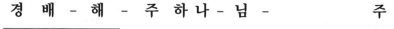

You are - good - You are - good - All the time

Fine

- All the time - You are - good -

D.C.

214 주께 두 손 모아

(사랑의 종소리)

김석균

주 께 두손모아비 나니크 신 은총베푸사
주 께 두손모아비 나니크 신 은총베푸사

밝 아 오는이 - 아 침을환 히 비쳐주소 서
주 가 예비하신동 산에항 상 있게하소 서

오 - 주 우리모든 허 물을보 혈 의피로씻기 어
오 - 주 우리맘에 새 빛이어 두 움밝게하시 어

하 - 나 님사랑 안에 서행 복 을 - 갖게하소 서
진 - 리 의말씀 안에 서늘 순 종 - 하게하소 서

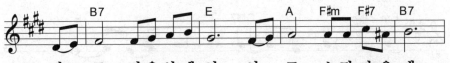

서 - 로 믿음안에 서 서 - 로 소망가운 데
서 - 로 참아주면 서 서 - 로 감싸주면 서

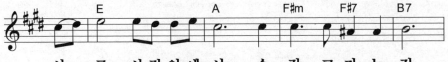

서 - 로 사랑안에 서 손 잡 고가 는 길
서 - 로 사랑하면 서 주 께 로가 는 길

오 - 주 사랑의종 소 리가 사 - 랑 의종소리 가

이 시 간우리 모 두 - 를감 싸 게하여주소 서

E

주는 평화

(He is our peace)

Kandela Groves

215

주 는 평 화 막 힌 담 을 모 두 허 셨 네

주 는 평 화 우 리 의 평 화 화

염 려 다 맡 기 라 주 가 돌 보 시 니

주 는 평 화 우 리 의 평 화 화 -

216 주께서 높은 보좌에

긴국인

주께서높은 보좌 - 에 - 앉으셨는 - 데 -

그 옷자락은 성 전 - 에 - 가득하도 - 다 -

천사들이모 여 서 - 서로창화하여 외 치니

그 소리는성 전 에 - 가득하도 - 다 - -

거룩 거룩하 - - 다 만군의여호 와

그 - 영광이 온 땅 - 에 충만하시 - 도 다

주님 계신 곳에 나가리

217

(주의 위엄 이곳에 / Awesome in this place)

Dave Billington

E

218 주님 어찌 날 생각하시는지

(나는 주의 친구 / Friend of God)

Michael Gungor & Israel Houghton

주님 어-찌 날 -생 각 -하시는 -지-

들 -으시는 -지- 내 -기 도 -

- 주님 진 -실 로 -날 생 -각 하시 -네-

날 -사랑하 -네- 놀 라 워 - 라 -

- 놀 라 워 - 라 - -

놀 라 워 - 라 - - -놀 라 워 - 라-

- -놀 라 워 - 라 - - 나 는 주 의 -친 -구

- 나 는 주 의 -친 -구 - 주 님 날 친 -구 -로

주님 어찌 날 생각하시는지

219 주를 향한 나의 사랑을

(Just let me say)

Geoff Bullock

주를향한 나의 사 랑을 주께 고 백하게 하소 서
부드러 운 주의 속 삭임 나의 이 름을부 르시 네
온맘으 로 주를 바 라며 나의 사 랑고백 하리 라

아름다 운 주의그늘아래 살 며 주를 보 게하소 서
주의능 력 주의영광을보 이사 성령을 부으소 서
나를향 한 주님의그크신 사랑 간절히 알기원 해

주님의 말씀 선포 될 때에 땅과 하늘 진동 하리 니
메마 른 곳거 룩해지 도록 내가 주를 찾게 하소 서
주의은 혜로 용서하 시고 나를 자녀 삼아 주셨 네

나의사 랑 고백 하 리라 나의 구주 나의 친 구
내모든 것 주께 드 리리 나의 구주 나의 친 구
나의사 랑 고백 하 리라 나의 구주 나의 친 구

주 앞에 엎드려

(I will bow to You)

Pete Episcopo

주 앞에엎 - 드려 경배합 - 니다 - 오직 - 주께

- 주 경배합 - 니다 다른신 - 아닌

- 오직 - 주께 - 나의모 - 든 - 우상 - 들 -

나 의 - 보좌 - 모 두 - 다내 - 려 - 놓고 -

주 앞에엎 - 드려 경배합 - 니다 - 오직 - 주께 -

221 찬송하라 여호와의 종들아

(Come bless the Lord)

찬 송 하 라 - - 여호와의종들 아

주 님 집 에 - - 서 있 는자 들 아

성 소 향 해 - 손 을들고 서 -

찬 송 하 라 - - 찬 송 하 라 -

축복합니다 주님의 이름으로 222

이형구 & 곽상엽

축복합니다 - 주님의이 름으로 -

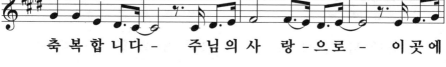

축복합니다 - 주님의사 랑 - 으로 - 이곳에

모인주의거 - 룩한 자 녀에게 주님의 기쁨 과주 - 님의

사랑 - 이 충만 하게 충만 하게넘치기를 -

God bless you God bless you

축복합니다 - 주님의사 랑 - 으로 -

223 크신 주께 영광돌리세

(Great is the Lord)

Robert Ewing

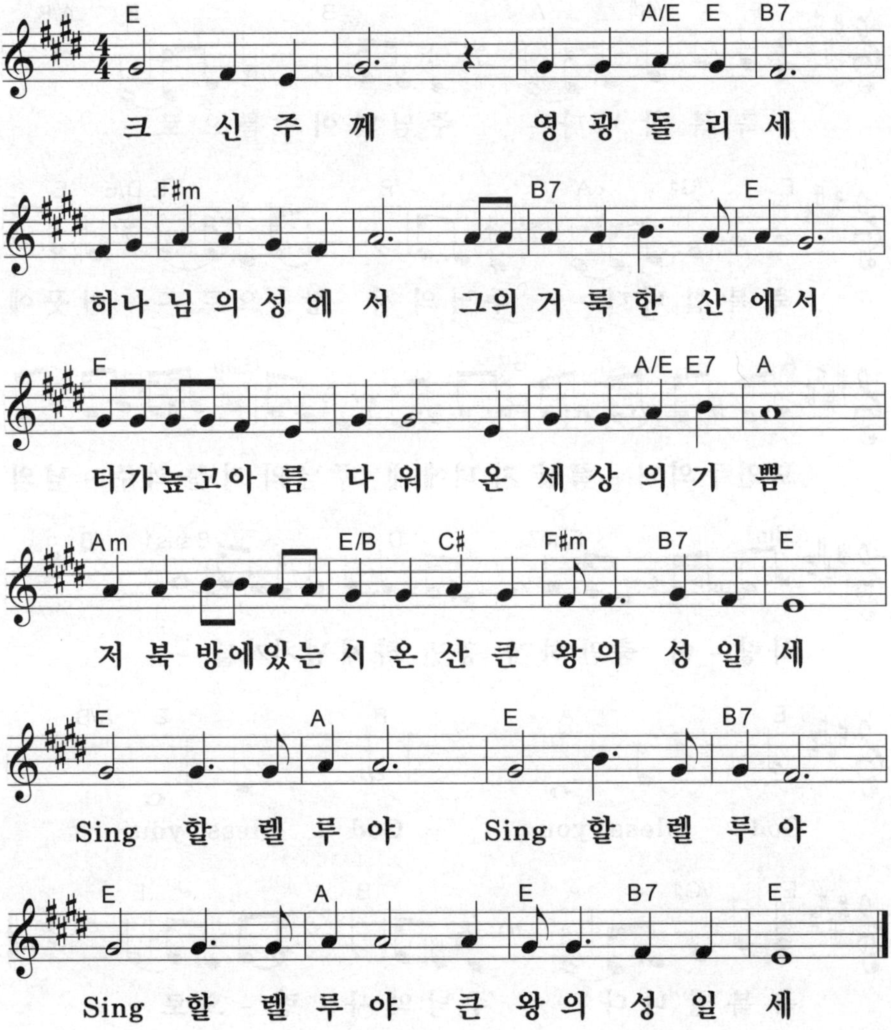

E A/E E B7
크 신 주 께 영 광 돌 리 세
F#m B7 E
하나 님 의 성 에 서 그의 거 룩 한 산 에서
E A/E E7 A
터가높고아 름 다 워 온 세 상 의 기 쁨
Am E/B C# F#m B7 E
저 북 방에있는 시 온 산 큰 왕의 성 일 세
E A E B7
Sing 할 렐 루 야 Sing 할 렐 루 야
E A E B7 E
Sing 할 렐 루 야 큰 왕 의 성 일 세

하나님은 너를 지키시는 자   224

정성실

하나 님은너를지키 시 는자녀의 우편에 그늘 되 - 시니 -

낮의 해 와 밤의달 - 도   너를 해 치 못 하 리 -

하나 님은너를지키 시 는자 녀의 환난을면케 하 - 시니 -

그가 너 를 지 키시리 라   너의출 입을지키시리 라

눈을 들 어 산을보 아 라 너의도움 어디서오나

천지 지으신 너를만드신   여 호와께로 - 다

E

225 하나님을 아버지라 부르는

(좋은 일이 있으리라)

오관석 & 한태근

하나님을 아버지-라 부-르는-자는 -
예수님을 구-주-라 부-르는-자는 -
성령님의 인-도-를 구-하는-자는 -

좋은일이 있 으리라 많이있 으리-라 -

우리서로 뜨-겁게 사랑하-면은 - - -

좋은일이 있 으리라 크게 있으리-라 -

해 뜨는 데부터

(From the rising of the sun)

Paul S. Deming

226

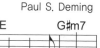

해 뜨는 데 부 터 - 해 지 는 데 까 지 - -

주 이 름 찬 양 받 으 리 해 뜨 는 데

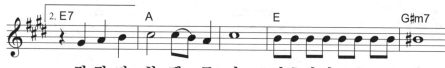

랄 랄 라 할 렐 - 루 야 여 호 와 의 모 든 종 들 아

E

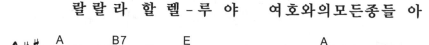

주 이 름 찬 양 해 이 제 부 터 영 원 - 까 지

주 이 름 찬 송 할 지 로 다

227

호흡있는 모든 만물
(Let everything that has breath)

호흡있는 모든만물 다나와서 주찬양하라

호흡있는 모든만물 다나와서 주찬양하라

이 - 른아침에 도 - 늦 - 은저녁에 도 -
높 - 은하늘에 도 - 천 - 사들과함 께 -

난 - 언제나 주님찬양해 - 기 - 쁨넘칠때 도 -
영 - 원토록 주님찬양해 - 온 - 땅위에서 도 -

슬 - 픔다가와 도 - 난 - 언제나 주님찬양해 -
모 - 든만물함 께 - 모 - 든민족 주님찬양해 -

끊임없는 주의사 랑 주의권세 존귀능력

알게되면 찬양케되 리 - 주찬양하라 -

Copyright © 1999 Thankyou Music,
Administered by CopyCare Asia(service@copycare.asia). All rights reserved. Used by permission.
Authorised Korean translation approved by CopyCare Asia.

흙으로 사람을

(From the dust of the earth my God created man)

흙으로 사람을 지으사 그코에 생기를 불어 넣으
갈보리 십자가 흘리신 그피로 영생을 얻게 하-

신 주하나 님 - 우리위해 아들을 세상
신 주예수 님 - 나이제- 주위해 한평

에 보내신 사랑의 주하 나 님 을사랑 해 -
생 살아갈동-안 주 님 만사 랑하리 라 -

나는 하나 님형 상 따라 지 음받은 몸이니 이몸 을

주 께바치 리 - 항상 내생 활속에 주를

부 인하지 않으며 내 주 를 섬 기렵니 다 -

229 넘지 못할 산이 있거든

최용덕

넘 지못 - 할산이있거든 -   주 님께맡기 세 요
참 지못 - 할분노있거든 -   주 님께맡기 세 요

넘 지못 - 할파도있 거든 -   주 님께맡 기세 요
참 지못 - 할슬픔있 거든 -   주 님께맡 기세 요

우리 가야 할길은 -   멀고도 - 험하여 -
우리 살아 갈길은 -   눈물의 - 골짜기 -

허덕이며   가야하는 우 리   인생인 데
내힘으론   참지못해 - 늘   흐느끼 네

이럴때우린누굴 의지하나요 -   주 님밖에없어요 -

나는 그길   갈 수없지 만   주 님이대신가 요

세상 일에 실패 했어도 230
(내가 너를 도우리라)

김석균

세상 일 에 실패했어도 너는 절 망하지말아 라
환난 핍 박끊임없어 도 너는 낙 망하지말아 라

내가 너 를도 우리 라 다시 일 어서게하리 라

질병으 로고통당해 도 너는 두 려워말 - 라
참지 못 할슬픔있어 도 기도 하 며담대하 라

내가 너 를도 우리 라 다시 일 어서게하리 라

나를 버린자들도 - 내가 사랑하거늘 - -하물며 너희를그냥-둘까보 냐
감사 눈물흘리며 - 믿음 으로간구하는 - 너희의 기도를내가 - 외면하랴

나는 너와함께하는 - 너의 하나님됨이니 - -의로운 오른손으로 -붙들리 라

내가 너 를굳 세계하리 라 너를 크 게사용하리 라

너로하여금 나를 증거하도록 내가너를도 우리 라

E

231

낮에나 밤에나
(주님 고대가)

손양원

갈보리 십자가의 주님을 232

김석완

갈보리 - 십자가의 주님을 - 바라볼 때
우리에 - 게믿음과 소망을 - 주 - 시 며
우리의 - 모든간구 응답해 - 주 - 시 며

하나님 - 크신사랑 너무나 - 고마워 라
사랑으 - 로세상을 이기게 - 하 - 셨 네
기도의 - 은혜로써 충만케 - 채우시 네

예수님 - 의십자 가 이제는 - 나도지 고

이생명 - 다바쳐서 주님을 - 따르리 라

F

233 거룩하신 하나님

(Give thanks)

Henry Smith

거 룩 하신 하 나님 — 주 께 감 사 드 리세 —
의 맘과 뜻 다해 — 주 를 사 랑 합 니 다 —

날위해 이땅에 오신 독 생 자 예 수 나

수 내 가 약할때 강함주 고

가난 할때우 리 를 부요케하 신나의 주

감 - 사 내 사 감 사 -

그때 그 무리들이 234

(세 개의 못)

J. Davis

그 때 그 무리들 이 예수님 못박았 네
주 여 저들의 죄를 용서하 여주소 서
비 웃는 저무리들 주의옷 벗긴후에
주 여 나의영혼을 받아주 시옵소 서

녹 슨 세 개의 그 못으로 -
주 님 눈물로 기 도 했네 -
주 님 몸깊이 찔렀 - 네 -
그 때 구원을 이루셨네 -

망 치 소 리 내 맘을 울리면 서 들렸 네
귀 중 한 저 보배피 나를위 해 흘렸 네
귀 중 한 그 보배피 나를위 해 흘렸 네
마 지 막 피 한 방 울 나를위 해 흘렸 네

그 피 로 내죄 씻 었 - 네 -
그 피 로 내죄 씻 었 - 네 -
그 피 로 내죄 씻 었 - 네 -
그 피 로 내죄 씻 었 - 네 -

F

235

깨어라 성도여
(일사각오)

주기철

나의 모습 나의 소유

(I Offer My Life)

Claire Cloninger & Don Moen

236

F

237 나 주의 믿음 갖고

(I just keep trusting the Lord)

John W. Peterson

나 주의 믿음갖고 - - 홀로걸어 도 -
내 주는 선한목자 - - 나를인도 해 -

나 주의 믿음갖고 - - 노래부르 네 -
사 망의 골짜기로 - - 다닐지라 도 -

폭 풍구름 몰아치고 - - 하늘덮어 도 -
주 님께서 나의길을 - - 인도하시 니 -

나 주의 믿음갖고 - - 실망치않 네 -
나 주를 따라가리 - - 언제까지 나 -

Fine

주 는내 친 구 - 진실한 친 구 -
주 는내 목 자 - 선하신 목 자 -

세 상끝 까 지 - 주의지 하 리 -
어 디가 든 지 - 함께하 시 네 -

D.S. al Fine

내 주의 은혜 강가로

(은혜의 강가로)

오성주

내 주 의은혜강가 로 저 십 자가의강가 로

내 주 의사랑있는 곳 – 내 주의강 가 로

내 주 의사랑있는 곳 – 내 주의강 가 로

갈 한나의영혼 을 생수로 가득채우소 서

피 곤 한내영혼위 에 내 주 의은혜강가 로

저 십 자가의강가 로 내 주 의사랑있는 곳 –

내 주의강 가 로 내 주의강 가 로 –

F

239

내 감은 눈 안에

(전부)

최경아 & 유상렬

내 감은- 눈 안에 이미 들어와- 계신 예수님 -

나보다- 앞서 나-를- 찾아 주시네

내 뻗은 두손위로 자비 하심을- 내어 주시니-

언제나- 먼저 나-를- 위로 -하시네

내 노래- 가운데 함께 즐거워 하시는-

늘- 나의- 기쁨이 되시네 -

수많은- 사람중에- 나 를 택해잡 으시고-

눈물 거두어- 빛살 가루 채우시 니 -

내 감은 눈 안에

그 분은 - 내 자랑 나 의 기 쁨 나 의
노 래 - 나 의 전 부 되 시 - 네 -

내 맘 속에 있는 참된 240
(오 주없인 살 수 없네)

R. C. Johns

내맘속 에 있는 참된 이평화는 누구도 빼앗을수없 네 -
평화없 는세상 고통 과싸움뿐 사람들 은무서워떠 네 -

주는 내 마음에 구주 되 시었네 오 - 주 없인살수없 네 -
평화의 주님이 다시 올 때까지 죄와전 쟁은끝이없 네 -

오 - 주 없인살 수없 네 - 오직 주 께만구원있 네 -

주님 없 는세상평화 없 네 오 주 없인살수없 네 -

241 마음이 상한 자를

(He binds the broken-hearted)

Stacy Swalley

마 음 이상 - 한자 - 를 고 치 시 는 - 주 님 -
성 령 으로 - 채 우 - 사 주 보 게 하 - 소 서 -

하 늘 의 - 아 버 - 지 날 주 관 하 - 소 서 - -
주 의 임 - 재 속 - 에 은 혜 알 게 하 - 소 서 - -

주 의 길 로 - 인 도 - 하 사 자 유 케 하 - 소 서 -
주 뜻 대 로 - 살 아 - 가 리 세 상 끝 날 - 까 지 -

새 일 을 행 하 - 사 부 흥 케 - 하 - 소 서 -
나 를 빚 으 시 - 고 새 날 열 어 주 - 소 서 -

의 에 주 리 고 - 목 이 마 르 니 - 성 령 의 - 기 름 - 부 으 - 소 서

의 에 주 리 고 - 목 이 마 르 니 - 내 잔 을 - 채 워 - 주 소 서

무덤 이기신 예수

(할렐루야 / Hallelujah)

Scott Brenner

F

243 모든 만물 다스리시는

(주의 능력 보이소서 / Show Your power)

Kevin Prosch

모든-만물 다 스리-시는 예 수는주

어둠-에서 빛-을 창조-하신 예 수는주

영원-히우리-와 거하-시는 예 수는주 그

이름-부를때-능 력주-시는 예 수는주 주의

능 --력 보 이 소-서 주의

능 --력 보 이 소-서오하나님

Fine

열방-의소망-이 되시-는주 예 수는주

우릴-구원하-신 능력-의주 예 수는주

모든 만물 다스리시는

십 자-가 볼 때-만 족 주-시 는   예   수 는 주

우 릴-주 의 자-녀 삼 으-시 는   예   수 는 주   주 의

F

244 사람을 보며 세상을 볼땐

(만족함이 없었네)

최영택

사람을 보며 세상을 볼땐 만 족함이없었 네

나 의하 나님 그분을뵐땐 나는만족하 였 네

1. 저 기빛 나는 태양을보라 또 저기서있는 산을보아라

천 지지으신 우 리여호와 나 를사랑하 시 니

나 의하 나님 한 분만으로 나 는만족하 겠 네

2. 동 남 풍아 불 어라 서북 풍아 불 어라

가 시밭 의백 합화 예 수향 기날 리니 할 렐루야아 - 멘

가 시밭 의백 합화 예 수향기날리니 할 렐루야아 - 멘

성령 받으라

최원순

성령받으라 성령받으라 예수내게말씀하셔서 –
평안있으라 평안있으라 예수내게말씀하셔서 –
구원받으라 구원받으라 예수내게말씀하셔서 –
축복받으라 축복받으라 예수내게말씀하셔서 –

성령받으라 성령받으라 예수내게말씀하셔서
평안있으라 평안있으라 예수내게말씀하셔서
구원받으라 구원받으라 예수내게말씀하셔서
축복받으라 축복받으라 예수내게말씀하셔서

할렐루야 성령받았네 나는성 – 령받았네
할렐루야 평안해졌네 나는평 – 안해졌네
할렐루야 구원받았네 나는구 – 원받았네
할렐루야 축복받았네 나는축 – 복받았네

할렐루야 성령받았네 나는성 – 령받았네
할렐루야 평안해졌네 나는평 – 안해졌네
할렐루야 구원받았네 나는구 – 원받았네
할렐루야 축복받았네 나는축 – 복받았네

246 삶의 작은 일에도

(소원)

한웅재

삶의작 - 은일 - 에도 - 그맘을알 - 기원 - 하네 - 그길 - 그

좁은길 - 로가 - 기원 - 해 나의작 - 음을 - 알고 - 그분의크 - 심을 - 알며

- 소망 - 그 깊은길 - 로가 - 기원 - 하네 -

저 높이솟 - 은산 - 이되 - 기보 - 다 여기

오름직 - 한동 - 산이 - 되길 - 내 가는길 - 만비 - 추기 - 보다

- 는 누군 가의길 - 을비 - 춰준 - 다면 -

내가노 - 래하 - 듯이 - 또내가애 - 기하 - 듯이 - 살길 - 난

삶의 작은 일에도

그렇게-죽기-원하-네   삶의한- 절이-라도 - 그분을닮- 기원-하네

- 사랑 - 그 높은 길- 로가- 기원- 하네 -
         좁은 길- 로가- 길원- 하네 -
         깊은 길- 로가- 길원- 하네 -

아버지 사랑합니다

247

(Father, I Love You)

Scott Brenner

아버지 -   사랑합 니다 -   아버지 -   경배합니다 -
예 수님 -   사랑합 니다 -   예 수님 -   경배합니다 -
성 령님 -   사랑합 니다 -   성 령님 -   경배합니다 -

아 버지 -   채 워주소서 - 당신의 -   사 랑 - 으로 -
예 수님 -   채 워주소서 - 당신의 -   사 랑 - 으로 -
성 령님 -   채 워주소서 - 당신의 -   사 랑 - 으로 -

248 성령 충만으로

성령충만으로 성령충만으로 뜨겁게뜨겁 게
말씀충만으로 말씀충만으로 새롭게새롭 게
은사충만으로 은사충만으로 강하게강하 게
할렐루야아 멘 할렐루야아 멘 우리○○교 회

성령충만으 로 성령충만으 로 뜨겁게뜨겁 게
말씀충만으 로 말씀충만으 로 새롭게새롭 게
은사충만으 로 은사충만으 로 강하게강하 게
할렐루야아 멘 할렐루야아 멘 우리○○교 회

성령 충만으로 권능받 - 아 땅끝 까지전파 하리라
말씀 충만으로 거듭나 - 서 주뜻 대로살아 가리라
은사 충만으로 체험얻 - 어 죄악 세상이겨 나가리
성령 충만으로 뜨거웁 - 게 말씀 충만으로 새롭게

성령 충만으로 권능받 - 아 증인 이되리 라
말씀 충만으로 거듭나 - 서 새사 람되리 라
은사 충만으로 체험얻 - 어 이세 상이기 리
은사 충만으로 체험얻 - 어 주의 일하리 라

세상을 구원하기 위해

(밀알)

천관웅

세상을구 원하기위 - 해 흘려야 - 할피가필 - 요하 - - 다 - 면 -
길잃어지 친양을찾 - 아 마음상 - 해이리저 - 리혜 - 매이 - 는 -

죄인을 대 신하기위 - 해 희생의 - 제물 - 필요하시다 면
한영혼 찾 아아파하 - 는 예수님 - 마음 - 내게주옵소 서

내 생명 - 제단위 - 에드리리 주 영 - 광 위해 사용하 - 소
십 자가 - 온 세상위 - 한그희생 눈 물 - 로 그길 가게하 - 소

서 생명이 또다른 - 생명 - 낳고 주님볼 - 수있 - 다 면

나의삶 - 과죽음도 아낌없 - 이드리리 죽어야 - 다시 - 사는

주의말 - 씀민 - 으며 한알의밀 - 알되 - 어 썩어지 - 리니 -

예수님 - 처럼 살아가 - 게하 소 서

250 세상 흔들리고

(오직 믿음으로)

고형원

세상흔들리고- 사람들은변하- 여 도 나는주를섬- 기 리
믿음흔들리고- 사람들주를떠- 나 도 나는주를섬- 기 리

주님의사랑은- 영원히변하지- 않 네 나는주를신 뢰 해
주님의나라는- 영원히쇠하지- 않 네 나는주를신 뢰 해

오 직 믿 음 으 로- 믿음으로내가 살 리 라

오 직 믿 음 으 로- 믿음으로내가 살 리 라- -

오 직 의 인 은- 믿음으로말미암아살 리 라

오 직 의 인 은- 믿음으로말미암아살 리 라- -

슬픔 걱정 가득 차고

(갈보리 / Burdens Are Lifted At Calvary)

John M Moore

슬 픔 걱 정 가 득 차 고　내 맘 괴 로 와 도
너 의 근 심 모 든 염 려　주 께 맡 기 어 라
너 의 눈 물 상 한 심 령　주 가 돌 보 신 다

갈 보 리 십 자 가 위 에 서　죄 짐 이 풀 렸 네

놀 라 운 사 랑 의 갈 보 리　갈 보 리　갈 보 리

놀 라 운 사 랑 의 갈 보 리　영 원 한 갈 보 리

F

252 아버지 날 붙들어 주소서

(Father I want You to hold me)

Brian Doerksen

아버지 날붙들-어주소서 - 주품안
아버지 날붙들-어주시리 - 나주의

에 쉬게하 소 -서-
것 그분의 자 -녀-

아버지 날깨닫-게하소서 - 주언제
아버지 날깨닫-게하시리 - 주나를

나 나-를 돌-보-심을
붙 드시니 두-렴-없네

내 모든-걱-정- 주의 발앞에놓으리
내 모든-염-려- 주의 발앞에놓으리

주 거기-계-셔- 나의모습이대
주 여기-계-셔-

로 - 나를사 -랑-- 하시네

예수 이름으로

253

Maori Origin

예수이름으로 예수이름으로 승리를얻었 네
예수님을따라 예수님을따라 어디든가리 라
예수이름으로 예수이름으로 마귀는쫓긴 다

예수이름으로 예수이름으로 승리를얻었 네
예수님을따라 예수님을따라 언제고살리 라
예수이름으로 예수이름으로 병마는쫓긴 다

예수 이름으로 나아갈-때 우리앞에누가 서리요
예수 님을따라 나아갈-때 밝은태양빛이 비치고
예수 이름으로 나아갈-때 누 가나를괴롭 히리요

F

예수 이름으로 나아갈-때 승리를얻었 네
예수 님을따라 살아갈-때 밝은내일있 네
예수 이름으로 기도할-때 악마는쫓긴 다

254 오늘 피었다 지는
(들풀에 깃든 사랑)

노진규

오 늘 피었다지 는 들풀도 -입히는 하 나님

진 흙같은이몸 을 정금 같 -게하시 네

푸 른하늘을나 는 새들 도 -먹이는 하 나님

하 물며-우리 랴 염 -려 -필요없 네

우 리마 음 속깊-은 그 곳에 영 혼을 내리신 주

죽 음 이 기 신영원한 생 명을 약 속하 시었 네

온 맘 다해 주 사랑하라   255

(You shall love the Lord)

Jimmy Owens

온 맘 다 해주 - 사랑 - 하 - 라 -

생 명 다 해주 - 사랑 - 하 - 라 -

뜻 을 다 하여 - 사랑 - 하라 - - 온맘 다

해 생명 다 해 주사 랑해 - -

- 주사 랑 해 - - 요 존 귀 하신 - 주님 -

주사 랑 해 - 요 큰 일 행하 - 셨네 -

주사 랑 해 - - 요 더 욱 사 랑해 -

온맘 다 해 생명 다 해 주사랑 해 -

256

완전하신 나의 주

(예배합니다 / I Will Worship You)

Rose Lee

완전-하신 나 의 주 의의-길로날-인
도하소-서- 행 하신-모든 일주님의영광-
다 경배합-니 다 - 예 배합-니다 - 찬 양합-니다
- 주님만 - 날다스리소 서 - 예 배합-니다
- 찬 양합-니다 - 주님홀 -로높임받으소서 -

왕이신 나의 하나님

(Psalms 145)

Stephen Hah

왕 이 신 - 나 의 하 나 님 -

내 가 - 주 를 높 이 고 -

영 원 히 - 주 의 이 름 을 -

송 축 하 리 이 다 -

F

257

258 왕이신 하나님 높임을 받으소서

(He is exalted(The King Is Exalted))

Twila Paris

요한의 아들 시몬아

권희석

요한의아들시몬아 - 　네가다른사람들보 다
내게오는많은양떼 - 　네게맡겨둘 - 테니 -

나를더 사 랑 하 느냐 - 　하고주님이물으셨 네
사랑하 는 내 친 구여 - 　많은양떼를부탁한 다

그 때 　나는주께 대 답 했네 내가 주 를사랑하는 지

주 님 께서 - 아십니 다 - 주님 께서 내마음아시 리

F

260 우리는 주의 백성이오니

(We Are Your People)

David Fellingham

우 리 는 주 의 　　　 백성이 - 오니 -

주 의 그 큰 이 름 　　 선포합 - 니다 -

이 곳 어두운 세 상 에 　 빛으로부르셨 네

주 의 얼 굴 구 할 때 　 역사하 소 서

교 회 를 세 우 시 고 - 이 땅

고 쳐 주 소 서 - 주 님 나 라

임 - 하 시 고 주 뜻 이 뤄 지 이 다

이 날은 이 날은

(This is the Day)

이 날 - 은   이 날 - 은 주의 지 으 신 주의 날 일세
이 날 - 은   이 날 - 은 나의 모 든 죄 사함 받은 날
이 날 - 은   이 날 - 은 우리 주 님 이 부활 하신 날
이 날 - 은   이 날 - 은 성령 님 께 서 임하 시 는 날

기 뻐 하고   기 뻐 하며 즐 거 워 하 세 즐 거 워 하 세

이 날 은 주 의 날 일 - 세   기 뻐 하고 즐 거 워 하 - 세

이 날 - 은   이 날 - 은 주의 날 일 세

Copyright © 1967 Universal Music-Brentwood Benson Pulb.
Administered by CopyCare Asia(service@copycare.asia), All rights reserved. Used by permission.
Authorised Korean translation approved by CopyCare Asia.

262 이 땅에 오직 주 밖에 없네

정종원

이땅에 - 오직- 주밖에 - 없네-그무엇도

- 나를- 채울수 - 없네-주님의 - 평안- 내안에

- 있네-그누구도 - 빼앗을수없네 - 이땅에 -

세상은변 - 해가- 고 소망은힘-을잃-어도-변
폭풍이몰 - 려와- 도 두려움물-러가--네-우
이세상어 - 디에- 서 평안을찾을수있--나-목
우리가바 - 라왔- 고 꿈꾸어왔-던미-래가-그

함없이-붙드-시는-그 구원의-손길-
릴위해-싸우-시는-그
숨까지-내어-주신-그 깊은사-랑을-
한없는-사랑-안에-서

손을의지해 - 열리고있네 - 이땅에

이 땅에 오직 주 밖에 없네

오직 - 주밖에 - 없네 - 그 무엇도
나를 - 채울수 - 없네 - 주님의 - 평안 - 내 안에
있네 - 그 누구도 - 빼앗을 수 없네 -

F

주 여호와 능력의 주

(I Am The God That Healeth Thee)

263

Don Moen

주 여호와 - 능력의 - 주 - 내 영혼의 - 치료자
말씀으로 날 고치시 - 네 주님 나의 - 치료자

264 저 하늘에는 눈물이 없네

Joyce Lee

F   **C**

저 하 늘에는 　　 눈물 이없네 　 거기 는슬픔도없 네
저 하 늘에는 　　 눈물 이없네 　 거기 는기쁨넘치 네
저 하 늘에는 　　 눈물 이없네 　 거기 는즐거움있 네

F   **C7**   **F**

저 하 늘에는 　　 눈물 이없네 　 거기 는승－리만있 네
저 하 늘에는 　　 눈물 이없네 　 거기 는찬－송넘치 네
저 하 늘에는 　　 눈물 이없네 　 거기 는사－랑넘치 네

F   **C7**

고통 은모두다 　 사라 져버리고 　 영광 만가득하겠 네
세상 의근심은 　 사라 져버리고 　 영광 만가득하겠 네
인간 의욕심은 　 사라 져버리고 　 영광 만가득하겠 네

F   **C7**   **F**

우리 의주님과 　 나함 께있을때 　 영원 한기－쁨넘치 네

죄악된 세상을 방황하다가 265

(불 속에라도 들어가서)

최수동 & 김민식

F

1절
죄 악된 세상을 방 황하다 가
천 국과 지옥 도 나 - 는 몰랐 네
고집 대 로 영죽을 험 한세 상 이
왜 그리 - 더러운지 이 제야 아 네
불속에라도 들어 가서 - 불속에라도 들어 가서 -
세상에 널리 전하리 주 의사랑 을

2절
탕 자를 살려 준 주 님말씀 에
죄 인의 두다 리 묻 - 어 두었 네
아들 이 여일어 나 내 손을 잡 고
남은몸 - 모든영혼 바 치라하 네

3절
골 고다 언덕 길 오 르신예 수
추 수할 일꾼 들 찾 - 아 부르 네
거친바 다 험한산 피 가맺 혀 도
십자가 - 내가지 고 끝 내이기 리

266 주께서 내 길 예비하시네

조일상

주 께 서 내 길 예 비 하 시 네 -
나 이 제 주 를 따 라 가 려 네 -
나 이 제 겸 손 하 게 살 리 라 -
나 이 제 기 도 하 며 살 리 라 -
나 이 제 진 실 하 게 살 리 라 -

주 께 서 내 길 예 비 하 시 네 -
나 이 제 주 를 따 라 가 려 네 -
나 이 제 겸 손 하 게 살 리 라 -
나 이 제 기 도 하 며 살 리 라 -
나 이 제 진 실 하 게 살 리 라 -

이 제 하 루 하 루 를 주 를 위 해 살 리 라
세 상 죄 길 버 리 고 생 명 길 을 찾 았 네
나 의 하 루 하 루 를 주 를 따 라 가 리 라
이 제 하 루 하 루 를 주 를 위 해 살 리 라
나 의 하 루 하 루 를 주 를 따 라 가 리 라

주 께 서 내 길 예 비 하 시 네 -
나 이 제 주 를 따 라 가 려 네 -
나 이 제 겸 손 하 게 살 리 라 -
나 이 제 기 도 하 며 살 리 라 -
나 이 제 진 실 하 게 살 리 라 -

주님과 함께 하는

(온 맘 다해 / With all my heart)

267

Babbie Mason

주 님과함께하는 이 고요한-시-간 주 님의보좌앞에
나 염려하잖아도 내 쓸것아-시-니 나 오직주의얼굴

내 마음을-쏟-네 모든것아시는주님 께 감출것없네
구 하게하-소-서 다 이해할수없을때라 도 감사하며

내 맘과정성다해 주 바라나-이- 다
날 마다순종하며 주 따르오-리- 다

온맘다해 사랑합니다- 온맘다해 주알기원하네

내모든삶 당신것이니- 주만섬기-리 온맘다해

267

F

268 주님만 주님만 주님만

(주님만 사랑하리 / It is You)

Pete Sanchez Jr.

주님만 주님만 주님만 사랑하리

나의 왕 나의 주님 주님을 더욱 알기원해

나 주님께 오직주께 경배하네

거룩 거룩 존귀 존귀 하신주

사랑합니다 -

주님의 사랑이 이곳에 269

(주님 사랑 온누리에)

채한성

주 님의사랑이 – 이 곳에가득하기를 – 기도합 – 니 다
님의은총이 – 이 곳에가득하기를 – 기도합 – 니 다

주 님의평화가 – 우 리들가운데 – 에 있기를원합니 다 주 다
주 님의기쁨이 – 우 리들가운데 – 에 있기를원합니

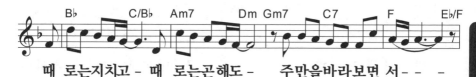

때 로는지치고 – 때 로는곤해도 – 주만을바라보면 서 – – –

세 상의고통이 – 내게닥쳐와도 – 주만을사랑하리라 – –

주 님의축복이 – 이 곳에넘 쳐나기를 – 원합 – 니 다

주 님의사랑이 – 이 곳에가득하기를 – 기도합 니 다 –

F

270 주를 찬양하며

(I just want to praise You)

Arthur Tannous

주 -를찬양하 -며 나 -이제고백 하는말
손 -을높이들 -고 나 -이제고백 하는말

주 -를사랑 합니다 나의 -모든것
주 -를사랑 합니다 오거 -룩하신

되 신주님 께 - 주 의이름거 -룩하신

주 의이름주 -의이름높 이올리 세 -

주의 사랑으로 사랑합니다 **271**

(I love you with the love of the Lord)

Jame M. Gilbert

주의 사랑으로사랑합니 다　　주의 사랑으로사랑합니 다

형제 안 에–서 주의 영광을보네 주의 사랑으로사랑합니 다
자매 안 에–서 주의 영광을보네 주의 사랑으로사랑합니 다

F

형제의 모습 속에 보이는 **272**

박정관

형제의모습속에 보 이는　　하나님형상아름 다 워–라
우리의모임중에 임 하신　　하나님영광아름 다 워–라

존 귀 한주의자 녀 됐 으니 사랑 하며 섬 기 리
존 귀 한왕이여기 계 시니 사랑 하며 섬 기 리

273 참참참 피 흘리신

(성령의 불길)

김용기

참 참 참 피 - 흘리신 예 수의사랑안에 서
참 참 참 들 - 려오는 구 원의큰종소리 에

주 님 의 십 자가따라 생 명을바치겠느 냐
복 음 을 전 파하려면 희 생을각오하느 냐

복 음 의 불 길오른다 다 같이일어나거 라
구 원 은 성 도들의것 진 리로거두리로 다

영 광 의 주 님의나라 다 같이참여하여 라
우 리 는 천 국에가서 영 생의꽃이되리 라

성령의성령의불길 성령불이야 성령의성령의불길 성령불이야

온 천하 세계만방에 퍼치자성령의불 길 퍼치자성령의불 길

하나님은 너를 만드신 분 274

(그의 생각*요엘에게)

조준모

하나- 님은- 너를 만드신--분- 너를 가장많--이-
하나- 님은- 너를 원하시-는분- 이- 세상그-무엇-

알고 계시며- 하나- 님은- 너를 만드신--분-
그누 구보다- 하나- 님은- 너를 원하시-는분-

너를 가장깊--이- 이해하 신단다- 하나- 님은-
너와 같이있--고- 싶어하 신단다- 하나- 님은-

너를 지키시-는분- 너를 절대포--기- 하지 않으며-
너를 인도하-는분- 광- 야- 에-서도- 폭풍 중에도-

하나- 님은-너를 지키시-는분- 너를 쉬-지-않고- 지켜보 신단다-
하나- 님은-너를 인도하-는분- 푸른 초-장- 으로- 인도하 신단다-

그의 생각 - 셀수 없고- 그의 자비- 무궁하 며

그의 성실 - 날마다 새 롭고- 그의 사랑 끝이 없단 다

275 반드시 내가 너를

반 드시내가너를 축복하리라　　반 드시내가너를 들어쓰리라

천 지는변 해도 나의약속은　　영 원히변치않으 리
세 상의소 망이 사라졌어도　　온 전히나를믿으 라

두려 워 말 라 강하고 담대하 라　　낙심 하 며 실망치말라
두려 워 말 라 강하고 담대하 라　　인내 하 며 부르짖으라

낙 심 하 며 실망치말라 실 망 치 말 라　－
인 내 하 며 부르짖으라 부 르 짖 으 라　－

네 소원이루는날 속히오리니　　내 게 영광돌리 리
영 광의그 － 날이 속히오리니　　내 게 찬양하리 라

네 소원이루는날 속히오리니　　내 게 영광돌리 리
영 광의그 － 날이 속히오리니　　내 게 찬양하리 라

Copyright ⓒ 박이순, Adm. by KOMCA All rights reserved. Used by permission.

사막에 샘이 넘쳐 흐르리라 276

히브리민요

사막에 샘이넘쳐 흐르리 라   사막에 꽃이피어 향내내리라
사막에 숲이우거 지리 - 라   사막에 예쁜새들 노래하리라

주님이 다스리는 그나라가되면은 사막이 꽃동산되 리
주님이 다스리는 그나라가되면은 사막이 낙원되리 라

사 자들이   어린양과뛰놀고 어린이 들 함께뎅구는
독 사굴에   어린이가손넣고 장 난쳐 도 물지않 - 는

F

참 사랑과   기쁨의그나라가 이 제 속히오리 라
참 사랑과   기쁨의그나라가 이 제 속히오리 라

277

이것을 너희에게

(담대하라)

문찬호

이것 을 너희에게 이름은 너희로 내안에서

평안 을 영원토록 누리게 하려 함이라 이것

라 세상에서 너희가 환난을 당하나

담대하라 세상을 이기었 노라하시니 라

이것을 너희에게 이름은 너희로 내안에서

축복을 영원토록 누리게 하려 함이라

저 성벽을 향해

(Blow the trumpet in Zion)

278

Craig Terndrup

저 성벽을향해 전진하라 주님이우리 대장되신다 저

대장되신다 주 가 명령하 네 강 한 군 사들 아

주 가 명령하 네 강 한 군 사들 아

나 팔소 리 시 온 성에 크 게울 려 거룩 한성 에

나 팔소 리 시 온 성에 울 - 려 라 라

F

279 주께서 전진해 온다

(For the Lord is marching on)

Bonnie Low

주께 서 　 전진 해 온다 - 그 의 강 한

승리 의 군대 - 그의 영 광찬 란 하 게 비 치 - 네

찬양 하 세 　 승리 의 노래 - 주 찬 양

승리 의 찬양 - 누가 당 할손 가 주 님 의 군 - 대

우리 　 대장되신구 주 예수 나 주님의 뒤 따 르면

누가 당 할손 가 주 님 의 군 대 　 우리 대

주님과 담대히 나아가

(The victory song)

Dale Garratt

주 님 과　　담 대 히 나 아 가 - 원 수 를　　완 전 히

밟 아 이 - 겨 승 리 를　　외 치 며 찬 양 하 세 -　그 리 스 도　나 의

왕　　승 리 - 를 주 신 하 나 님 - 백 성　　구 원 했 네

말 씀 - 으 로 무 찌 르 니 -　온 세 상 일 어 나　보 리 주 님

왕　　그 리 스 도　나 의 왕　　그 리 스 도　나 의 왕

F

281 갈급한 내 맘

(주 사랑해요 / I'll Always Love You)

Tim Hughes

갈급한 내 맘

정 - 으 - 로 - 경 - 배 - 드 - 려 - 요 -

주 사랑 - 해 - 요 -   영 원히 - 찬 - 양 - 해 - 예 - 수

- 신 령과 - 진 - 정 - 으 - 로 - 경 - 배 - 드 - 려 - 요

-    -

예수이름 - 높이올려 - 드리 - 세   한목소리 로

- - - 소리높여 - 모두외치 - 세 -

282 감사해 시험이 닥쳐올 때에

(감사해 / Thank You Lord)

Dan Burgess

감-사 해 　 - 시험이닥 쳐 올 때에

주께서인 도 하 시니 - 두려움없 네

또감사- 해 　 - 고통이찾 아 올 때에

주께서지 켜 주 시니 - 승리하 리 라

나의모 든 생 활속 에 서 　 주님이함 께하 시

니 　 주님의 성령 나 를 인 　 도하시 리

시험이 나 를찾 아올 때주 님 지 켜주 시

리 　 주님의 성령 나 를 인 -도하시 리

겟세마네 동산에서

조용기 & 김주영

284 경배하리 내 온맘 다해
(You're Worthy of My Praise)

David Ruis

경 배하리 - 내 온맘-다-해- -
무 릎꿇고 - 주 맞이-하-리- -

경 배하리 - 내 온맘-다-해-
무 릎꿇고 - 주 맞이-하-리-

찬 양하리 - 내 온힘-다--해- -
내 모든 것 - 다 드--리--리- -

찬 양하리 - 온 힘다-해
내 모든 것 - 다 드 리-리

주 찾으리 - 나 사는-동-안- - 주
주 를향해 - 내 눈을-들-고- - 주

주 찾으리 - 나 사는-동-안-
주 를향해 - 내 눈을-들-고-

경배하리 내 온 맘 다해

님 의길을 - 나 따라-가--리--
의 지하리 - 주만 의지-하--리- -

주 님 의길을 - 따라가-리-
주 의 지하리 - 의지하-리-

주님만- 을 경배-하-리 주님만- 을

찬 양-하-리- 찬양받- 기 합당-하-신

존 귀하- 신 주 만 높-이- -리-

G

285

경배하리 주 하나님

(I Worship You Almighty God)

Sondra Corbett-Wood

경 배 하 리 주 하 나 님 전 능 하 신 주

경 배 하 리 평 화 의 - 왕 - 주 를 사 랑 합 니 다

찬 양 하 세 - 누 가 주 와 같 으 리 -

경 배 하 리 주 하 나 - 님 전 능 하 신 주

그리 아니하실지라도

286

안성진

그 리 - 아니하실지라 도 감 사 해 요
그 리 - 아니하실지라 도 사 랑 해 요

주 님 뜻 을 믿 기 때 문 이 죠 -
합 력 해 서 선 을 이 루 어 요 -

언 제 나 나 를 향 - 한 신 실 한 사 랑 -

우 리 를 향 한 그 크 신 사 랑 -

우 리 가 함 께 높 이 며 주 를 찬 양 해 -

할 렐 루 야 하 나 님 께 영 광 -

287 기도하자 우리 마음 합하여

Maori Tune

기 도 하 자 우 리 마 음 합 하 여 - -
찬 송 하 자 우 리 모 두 주 님 께 - -
걸 어 가 자 하 늘 영 광 저 문 을 - -
바 라 보 자 주 님 계 신 저 문 을 - -

기 도 하 자 우 리 마 음 합 하 여 - -
찬 송 하 자 우 리 모 두 주 님 께 - -
걸 어 가 자 하 늘 영 광 저 문 을 - -
바 라 보 자 주 님 계 신 저 문 을 - -

할 렐 루 야 아 -멘- 할 렐 루 야 아 -멘-

기 도 하 자 우 리 마 음 합 하 여 - -
찬 송 하 자 우 리 모 두 주 님 께 - -
걸 어 가 자 하 늘 영 광 저 문 을 - -
바 라 보 자 주 님 계 신 저 문 을 - -

기도할 수 있는데

고광삼

기도 할 수있는 데 왜-걱 정하십니 까
할 수있는 데 왜-실 망하십니 까

기도하 면서 왜 염려 하십니 까 기도 까
기도하 면서 왜 방황 하십니

주님 앞에 무릎 꿇고 간 구해 보세 요

마 음을 정결 하게 뜻 을다하 여

기도 할 수있는 데 왜-걱 정하십니 까

기도 하면서 왜 염려 하십니 까

G

289 기뻐하며 왕께

(Shout for joy and sing)

David Fellingham

| G | G/F# | Em | /D | C | Am | D |

기 뻐 하 며 왕 께 노 래 부 르 리 -

| G | G/F# | Em | /D | C | Am | D |

소 리 높 여 할 렐 루 야 부 르 리 -

| Em | B7/F# | Em/G | E/G# | Am | D |

주 님 앞 에 나 와 찬 양 드 리 며 -

| Bm7 | Em7 | Am7 | Dsus4 D7 | G | C/G | G |

우 리 주 님 과 함 - 께 기 뻐 하 리 라 -

| G#dim7 | Am7 | D7 | G | Em |

나 의 창 조 - 자 나 의 구 원 - 자 -

| Am | D7 | G |

가 장 귀 한 나 의 예 수 님 - 찬 양 합 니 - 다 -

| G#dim7 | Am7 | D | G | B7/F# | Em |

나 의 치 료 - 자 - 나 의 선 한 목 자 되 - 신 주 -

| Am7 | D7 | G | C/G | G |

예 수 나 의 주 찬 양 하 리 -

나 기뻐하리

(I Will Rejoice)

Brent Chambers

나 기 뻐 하 리 - 나 기 뻐 하 리 -

나 기 뻐 하 리 - 나 주 안 - 에 - 서 - 기 뻐 하 - 리 - 라 -

- 기 뻐 하 - 리 - 라 -
1. 원　　수 가 나 를 - 무 너 뜨
2. 환　　경 에 지 배 - 를 받 지

- 리 려 고 - 내 마 음 에 속 - 삭 - 였 - 네　　내
- 않 - 고 - 내 팔 의 힘 과 - 목 - 소 - 리　　느

영 이 깨 어 - 넘 어 지 지 않 고 나 의
끼 는 감 정 - 과 상 관 없 이 - 내 마

믿 음 의 고 - 백 이 원 수 를 - 묶 네 -
음 기 뻐 하 - 기 로 결 심 을 - 했 네 -

G

D.C.

291 나는 주님을 찬양하리라

(I Will Celebrate)

Rita Baloche

나 는 주님을- 찬 양 하 리 라-

새 -노래로- 주 찬 -양 - - - -

나 는 주님을- 찬 양 하 리 라-

새 -노 래 로- 주 찬 양 -

Fine

- 온 맘 과 - 뜻 다 하 - 여 서 -

주 님 을 - 기 뻐 -하 -리

두 손 을 - 높 이 -들 고 서

D.C.

주 님 을 - 경 배 -하 -리

나는 주만 높이리

(Only A God Like You)

Tommy Walker

292

나는 주 만높 – 이 리 – 결코 내 맘변 – 치 않 – 네 –

세상 모 든권 – 세모 – 든영 – 광십 – 자가앞에 다버 – 리고 –

나의 충 성과 – 내헌 – 신 – 내모든 소 망오 – 직예 – 수

나무 에 달려 – 죽으 – 신그 – 분 께 –

오직우리주 – – 께 – 내믿음 – 소망찬양 받기 – 합당한분 또

오직만왕 – 의왕께 – 엎드려 – 경배하며 모 – 두드리리

– 두드리리 나 를지으시 – 고아버 – 지되시 – 며 나 를구원하 – 사

하늘 – 의상주 – 실 오 직우리주 – 님 께 – 나찬양하리 – –

오직우리 주 – 께 오직우리 주 – 께 오직우리 주 – 께 –

293 나 약해있을 때에도

(주님 만이)

조효성

나 약해있을때 에 도 주 님은함께계 시
시험당할때 에 도 주 님이지켜주 시

고 나 소 망있을 때 에 도 주
고 나 실 망당할 때 에 도 주

1. 님은내게오 시 네 나
2. 님이위로하 시 네

주 님 만 - 이 내 힘이 시 며

오 주님 만 - 이 날 도 우 시 네

오 나의 주 - 님 내 아 버 지 여

오 나의 주 - 님 내 사 랑 이 여

나의 가는 길

(주님 내 길을 / God will make a way)

Don Moen

295

나의 사랑 나의 생명

(나의 예수님)

최대성

나 주님의 기쁨되기 원하네 296
(To be pleasing You)

Teresa Muller

나주님 - 의기쁨되 - 기 원하네 -　　내 마음을 - 새롭게하 - 소 -
겸손히 - 내마음드 - 립 니 - 다 -　　나의모 - 든것받으 - 소 -

서 - -　　새부대 - 가되 - 게하 - 여 - 주 - 사 -　　주
서 - -　　나의맘 - 깨끗 - 케씻 - 어 - 주 - 사 -　　주

님 의빛 - 비추게하 - 소 - 서 - -　　내가 원 - - 하는 -
의길로 - 행하게하 - 소 - 서 - -

한 - - 가지 -　　주님의 - 기쁨이 되 는것 -　　내 가

G

원 - - 하는 -　　한가 - 지 - - -　　주님의 - 기 - 쁨이되는것 - - -

297 나의 하나님 그 크신 사랑

유상렬

나 의 하나님 - 그 크 - 신사랑 - 나의 마음속에 - 언제나

슬픈 눈물지을때 - 나의 힘이되시는 - 나의

영원 하신 - 하나님 - 나의 구원의반석 - 나의

생명의주인 - 나의 사 - 랑의 - 노 - 래 - 실패

하여지칠때 - 나의 위로되시는 - 나의 하나님을 - 찬양해

- 세월 이 지나도 변치않으리- 내 가 -주를 -사랑하는

마 - -음 즐 거운날이나 - 때론 슬픈날이나 - 모두
외 로운밤이나 - 험한 골짜기라도 - 나의

나의 하나님 그 크신 사랑

하 나 님 - 을 사 랑 합 - 시 다　세 월 이 지 나 도 - 비 -
하 나 님 - 은 동 행 하 - 시 니　내 영 혼 언 제 나 - 하 나

바 람 불 어 도 -　모 두 하 나 님 - 을 사 랑 합 - 시 다
님 을 바 라 며 -　세 상 끝 날 까 - 지 사 랑 하 - 리 라

내가 할 수 있는 것은
(All That I Can Do)

298

G

Ted Sanquist

내 가 할 수 있 는 것 은　오 직 감 사 와 기 도

두 손 을 높 이 들 고 주 께 찬 양 하 네

299 날 사랑하신

박철순

날 사랑하신 - 주님의 그 큰 사랑으로 -

내 안에 계신 - 예수님의 그 사랑으로 -

당신을 사랑합니다 - - - - -

당신을 축복합니다 -

나의 힘으로 - 당신을 사 랑할 - 수 없 - 네 -

나의 가진 모 - 든 것 - 으로 당신을 축복할 - 수 없 - 지만

주님이 주 - 신 - 크고도 놀 라우 신 - 그 사랑으로

당신을 사랑합니 다 - 축복합니다 -

낮엔 해처럼 밤엔 달처럼 300

최용덕

낮 엔해처럼 밤 엔달처 럼 그렇게 살 순없을 까 -
예 수님처럼 바 - 울처 럼 그렇게 살 순없을 까 -

욕 심도없 이 어둔 세 상비추 어온전 히 남을 위 해살듯 이
남 을위하 여 당신 들 의온몸 을온전 히 버리 셨던것처 럼

나 의일생 에 꿈 이있다 면 이땅 에 빛과 소금되 어 -
주 의사랑 은 베 푸는사 랑 값없 이 거저 주는사 랑

가 난한영혼 지 친영혼을 주님 께 인도 하고픈 데 -
그 러나나 는 주 는것보 다 받는 것 더욱 좋아하 니 -

나 의욕심이 나의 못 난자아 가 언제나 -커 다 란짐되 어 -
나 의입술은 주님 닮 은듯하 나 내맘은 -아 직 도추하 여 -

나 를짓눌 러 맘을 곤 고케하 니 예수여 나를 도 와주소 서 -
받 을사랑 만 계수 하 고있으 니 예수여 나를 도 와주소 서

301 내가 먼저 손 내밀지 못하고

(오늘 나는)

최용덕

G ..... C ..... D

내가먼저손내밀지 못 하고 –   내가먼저용서하지 못–하고 –
내가먼저섬겨주지 못 하고 –   내가먼저이해하지 못–하고 –

G ..... Am ..... C ..... D7 ..... G

내가먼 저웃음주지 못 하고 – 이렇 게 머뭇 거리고있 네
내가먼 저높여주지 못 하고 – 이렇 게 고집 부리고있 네

G ..... C ..... D

그가먼저손내밀 기 원 했고 –   그가먼저용서하길 원–했고 –
그가먼저섬겨주길 원 했고 –   그가먼저이해하길 원–했고 –

G ..... Am ..... C ..... D7 ..... G

그가먼 저웃음주길 원 했네 – 나 는 어찌된사람인 가
그가먼 저높여주길 원 했네 – 나 는 어찌된사람인 가

G ..... D ..... G ..... C ..... G ..... D

오 – 간교한 나의입술이여 – 오 – 옹졸한 나의마음이여 –
오 – 추악한 나의욕심이여 – 오 – 서글픈 나의자존심이여

G ..... C ..... G ..... D

왜 나의입은 – 사랑을말하면서 – 왜 나의맘은 – 화해를말하면서 –

G ..... C ..... G ..... D D7

왜 내가먼저 – 져줄수없는가 – 왜내가먼저 – 손해볼수없는가 –

내가 먼저 손 내밀지 못하고

오 - 늘 나 는 오 늘 나- 는

주님앞에서 - 몸 둘 바모르 - 고 이렇게 흐느끼며서있 네

어찌 할 수 없는 이맘을 - 주님 께 - 맡긴채 로

G

302 내가 주를 위하여
(주의 영광 위하여)

이희수

내가 주 를위 하 - 여   주의영 광위 - 하 - 여
나는주 님때문 - 에   주의사 랑인 - 하 - 여
주께모 두드리 리   주의사 업위 - 하 - 여

내가주 를위하 - 여   주의영 광위 하 - 여
나는주 님때문 - 에   주의사 랑인 하 - 여
주께모 두드리 - 리   주의사 업위 하 - 여

이몸주 께드리 리   나의일 생다 - 가도 록
오직주 만따르 리   나의생 명다 - 하도 록
내것모 두드리 리   당신내 게주신 것이 니

내가주 를위 - 하 - 여   주의영 광위 하 - 여
나는주 님때 - 문 - 에   주의사 랑인 하 - 여
주께모 두드 - 리 리   주의사 업위 하 - 여

내가 주인 삼은

303

전승연

내가 주인삼은 - 모든것 내려놓고 - 내 주 되 신

주앞 에 나가 - 내가 사랑했던 - 모든것 내려놓고 -

주 님 만 사 랑 해 - 　내가 - 주사 랑

거친 풍랑에도 - 깊은 바다처럼 - 나를 잠잠케해 - 주사 랑

내 영 혼 의 반석 - 그 사랑위에 - 서 리 -

G

304 내가 천사의 말 한다해도

(사랑 없으면 / Without love we have nothing)

James Micheal Steven & Joseph M. Martin

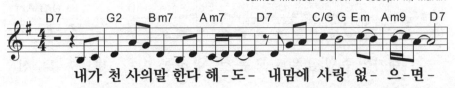

내가 천 사의말 한다 해-도- 내맘에 사랑 없- 으-면-

내가 참 지식과 믿음 있어도- 아무소 용 없- 으-니-

산을 옮 길믿음이있 어-도 나있는 모 든것줄 지라 도

나자신 다 주어도아무 소 용없네 소용 없-네 사랑 은(사랑은 사랑

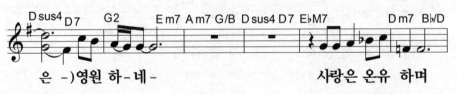

은 -)영원 하-네- 사랑은 온유 하며

사랑은자 랑치 않 으며 교만하지 아니 하-며

불의 기 뻐 하 지 아 니-하 니

내가 천사의 말 한다해도

내가　　천사의말한다 해-도- 내맘에 사랑 없- 으-면-

내가 참 지식과 믿음 있어도- 아무소 용 없- 으-니-

산을 옮 길믿음이있 어-도 나있는 모든것줄 지라 도

나자신 다 주어도아무 소 용없네소용 없- 네 사랑 은(사랑은 사랑

은 -)영원 하-네- 영원하-네- 영원　　영원 히 -

G

305 내게 강 같은 평화

(Peace Like A River)

Tranditional

내게 강 - 같은 평화 내게 강 - 같은 평화
내게 바 다같 은 사랑 내게 바 다같 은 사랑
내게 샘 - 솟는 기쁨 내게 샘 - 솟 는 기쁨
내게 믿 음소 망 사랑 내게 믿 음소 망 사랑

내게 강 - 같 은 평화 넘 치 네 -
내게 바 다같 은 사랑 넘 치 네 -
내게 샘 - 솟 는 기쁨 넘 치 네 -
내게 믿 음소 망 사랑 넘 치 네 -

내게 강 - 같은 평화 내게 강 - 같은 평화
내게 바 다같 은 사랑 내게 바 다같 은 사랑
내게 샘 - 솟 는 기쁨 내게 샘 - 솟 는 기쁨
내게 믿 음소 망 사랑 내게 믿 음소 망 사랑

내게 강 - 같 은 평화 넘 - 치 네 -
내게 바 다같 은 사랑 넘 - 치 네 -
내게 샘 - 솟 는 기쁨 넘 - 치 네 -
내게 믿 음소 망 사랑 넘 - 치 네 -

내 모든 삶의 행동 주 안에 306

(Every move I make)

David Ruis

내 모든 삶의 행동 주 안 에　주님 안 – 에 있네 나의 숨쉬는 순간들 도

내 모든 삶의 걸음 주 안 에 – 내 길 도 – 주 안에 나의 숨쉬는 순간들 도

라 라 라 라 – 라 라　라 라 라 라 – 라 라　자 비 와 은 혜 의 물 결

어 디 서 나 주 – 얼 굴 – 보 네 – 주 사 랑 날 붙 드 네

오 놀 라 운 주 – 님 의 사 랑 –

G

307 내 눈 주의 영광을 보네

(모든 열방 주 볼 때까지)

고형원

내 눈 주의 영광 을 보네 우리가운데 - 계신주 님

그빛난영광 온하늘덮고 그찬송온땅가 - 득 해 내

눈 주의 영광 을 보네 찬송가운데 - 서신주 님 주

님의얼굴은 온 세상향하네 권능의팔을드 - 셨 네 주의

영광 이곳에 - 가득 해 우린 서네 주님과 함 께 - - -

찬양하 며 우리는 전진 하 - 리 - 모든열 - 방주볼때까 지

Fine

하늘 아버지 - 우릴 새롭게 하사 열방 중에서 - 주를

섬기게 하소서 - 모든 나라일어나 - 찬송부르며 -

영광의 주님을 - 보게하 - 소 서 주의

내 손을 주께 높이 듭니다 *308*

(찬송의 옷을 주셨네)

박미래 & 이정승

내 손을주께높이 듭 니 다 내 찬양받으실 주 님

내 맘을주께활 짝 엽 니 다 내 찬양받으실 주 님

G

Fine

슬 픔 대신희락 을 - 재 대 신 화 관 을

근 심 대신찬송 을 - 찬 송 의 옷을주셨 네 내

309 내 인생 여정 끝내어

(예수인도하셨네 / Jesus led me all the way)

John W. Peterson

내 인 생 여정 끝내 어 　 강 건 너언덕이를 때
이 가 시밭길인생 을 　 허 덕 이면서갈때 에
내 밟 은발걸음마 다 　 주 예 수보살피시 사

하 늘 문향해말하 리 　 예 수인도하셨 네
시 험 과환난많으 나 　 예 수인도하셨 네
승 리 의개가부르 며 　 주 를찬송하리 라

매 일 발걸음마 다 　 예 수 인도하셨 네

나의 무거운죄짐을모두 벗고하는말 　 예 수 인도하셨 네

다 와서 찬양해
(Come on and celebrate)

Trish Morgan & Dave Bankhead

다 와서 찬 양해 – 사 랑 을주 신주 찬 양해 –

사 랑 의우 리주 – 님 – 생 명주 셨 네 –

소 리 쳐 찬 양해 – 기쁨 을주 시는 우 리왕 –

찬양 의제 사 드 리며 – 주님께경 배 해

다 와서 찬 양해 – 찬 양해 – 찬 양해 – 주 님

1. 찬 양 해 주 님 우 리 왕 –

2. 찬 양 해 주 님 우 리 왕 – –

G

311 다 표현 못해도

(그 사랑 얼마나)

설경욱

다 표현못해도 - 나 표현하리라 - 다 고백못해도 -

나 - 고백하리라 - 다 알수없어도 - 나 알아가리라 -

다 닮지못해도 - 나 - 닮아가리라 - 다 닮아가리라

- 그사 랑 얼마나 - 아름 다운지 - 그사 랑 얼마나 - 날

부요케하는지 - 그사 랑 얼마나 - 크고 놀라운지를 -

그사 랑 얼마나 - 나를 감격하게하는 지

당신은 영광의 왕

(You are the King of glory)

Mavis Ford

312

당 신은영 광 의 - 왕　　당 신은평 강의 왕

당 신은하 늘 과 땅의주　　당 신은정의의아 들

천 사가무 릎 꿇 - 고　　예 배하며 경 배 하 네

영 원한생 명 말 - 씀　　당 신은예수 그리스도주

호 산나다윗의 - 자 손 - 께　　호 산나불러왕중의 왕

높은하늘엔　영 광 - 을 - 　예 수주메시 아 - 네

G

313 당신이 지쳐서

(누군가 널 위해 기도하네 / Someone is praying for you)

Lanny Wolfe

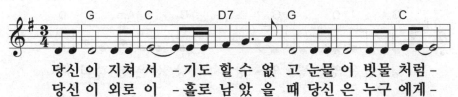

당신이 지쳐서 -기도 할수 없 고 눈물 이 빗물 처럼-
당신이 외로이 -홀로 남았 을 때 당신은 누구 에게-

흘러내릴때 주님은 우리연약함을 아시고
위로를얻나 주님은 우리상한맘을 아시고

사랑으로 인도하시네 - 누군가
사랑으로 인도하시네 -

널-위하여 - 누군가기-도하네

- 네가홀로 외로워서- 마음이 무너질 때

누군가 널위- 해기도하 네 -

때로는 너의 앞에

(축복송)

송정미

314

때-로 는 너 의앞 에 어려 움과 아픔있지 만
너 는택 한 족 속이 요 왕같 은- 제사장이 며

담대하 게- 주를바 라보는 너 의영혼 -
거룩한 나 라 하나님 의소유 된백 -성 -

너 의영혼 우리볼 때 얼마 나아름다 운-지
너 의영혼 우리볼 때 얼마 나사랑스 러운지

너 의영혼 통 해 큰영광받 으 실

하나님을 찬 양 오할렐루 야

G

315

마지막 날에

이천

모든 민족에게

(모든 영혼 깨어 일어날 때 / Great awakening)

Ray Goudie, Dave Bankhead & Steve Bassett

316

G

317 모든 영광을 하나님께

(Heavenly Father I appreciate You)

Anonymous

모든 영광을 – 하 나 님 께 –
예 수 님 – 찬 양 받 으 소 서 –
위 로 의 – 성 령 님 이 시 여 –

모든 영광을 – 하 나 님 께 –
예 수 님 – 찬 양 받 으 소 서 –
위 로 의 – 성 령 님 이 시 여 –

온 맘 – 과 뜻 다 – 해 주 사 모 합 니 다
죄 사 했 네 우 리 위 해 성 령 – 주 셨 네
우 리 안 에 계 셔 – 서 늘 인 도 하 셨 네

모든 영광을 – 하 나 님 께 –
예 수 님 – 찬 양 받 으 소 서 –
위 로 의 – 성 령 님 이 시 여 –

모든 지각에 뛰어나신

(아무것도 염려치 말고)

방영섭

모든지각에 – 뛰 – 어나신 – 하나님의평강 이

예수안에서 – 너의마음과 – 너의생각을 지키 리

아무 것 도 너는 염려치말고 – 오 직 기도와간구 로

하나 님 께 너의 구할것 –을– 감 사 함으로아뢰라 –

G

319 문들아 머리 들어라

보라 너희는 두려워 말고 320

이연수

보 라 너희는 두려워말고- 보 라 너희를 인도한나를-

보 라 너희는 지치지말고- 보 라 너희를 구원한나를-

너 희를 치던 적은 어디있느냐- 너희 를억누르던- 원수는

어디있느냐- 보 라 하 나님 구원을- 보 라

하 나님 능력을- 너희를 위 해서 싸 우시는-

1. 주의 손 을보라   2. 보 손 을보라

G

321 보라 새 일을

이길로

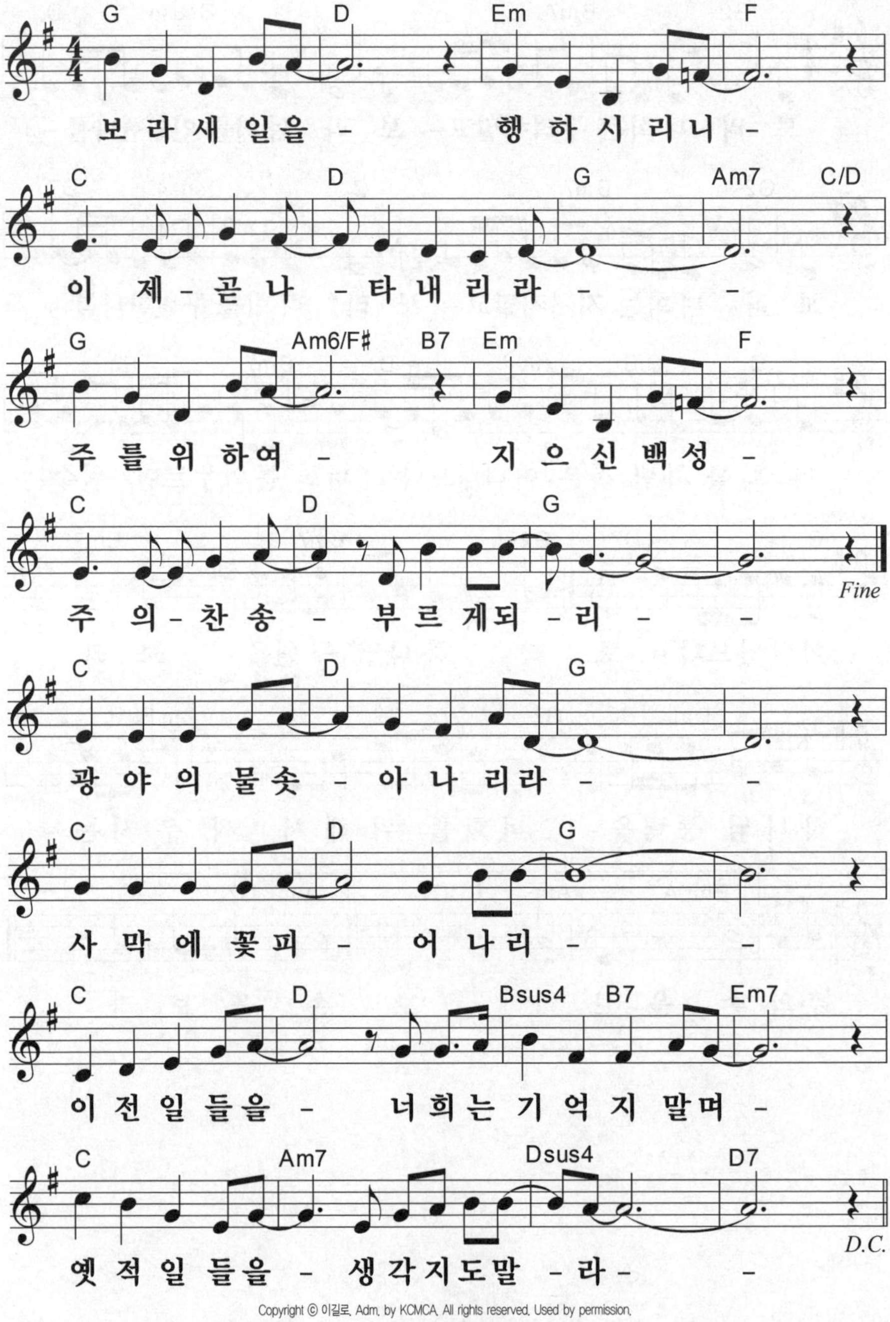

보라 새 일을 - 행하시리니 -
이제 곧 나 - 타내리라 - -
주를 위하여 - 지으신 백성 -
주 의 - 찬송 - 부르게되 - 리 - -

Fine

광야의 물솟 - 아 나리라 - -
사막에 꽃피 - 어 나리 - -
이전 일들을 - 너희는 기억지 말며 -
옛 적 일들을 - 생각지도 말 - 라 - -

D.C.

보혈을 지나

김도훈

보 혈을지-나 - 하 나님품으로- 보 혈을지-나 -

아버 -지 품으로- 보 혈을지-나 - 하 나님품으로-

한걸 음씩 나- 가네 - 보 - 존귀 한

주보 혈이- 내영 을 새롭게-하 시 -네 존귀 한

주보 혈이- 내영 을 새롭게- 하네 -

G

323 보소서 주님 나의 마음을

(주님 마음 내게 주소서)

Ana Paula Valadao

보 - - 소서 - 주님 - - 나의마음을 - - 선 - 한것하

- 나 없습니다 - 그 러나내 - 모든 - 것 - 주

께 드립니 - 다 - 사 랑으로 - 안으시고 - 날새롭 - 게

하소서 - 보 - - 소서 하소서 - 주님마 - 음내 - 게주 - 소서

- 내아 - 버지 - 주님마 - 음내 - 게주 - 소서 - 나를향하신 - 주님

의 뜻이 - 이 루어지 - 도록 - 주님마 - 음내 - 게주 - 소서

- 내 게사랑 - 을가 - 르치 - 소서 -

보소서 주님 나의 마음을

324 부흥 있으리라
(There's gonna be a revival)

Renee Morris

부흥 – 있 – 으리 – 라 – 이 땅에 – – –

부흥 – 있 – 으리 – 라 – 이 땅에 – – – 동쪽과

– (동쪽) 서 쪽 – (서쪽) 남 쪽 – (남쪽) 북쪽에 –

부흥 – 있 – 으리 – 라 – 이 – 땅에 –

– – – – – – – – – 이 땅에

사랑합니다 나의 예수님 325

김성수 & 박재윤

사랑합니 다   나의예수 님   사랑합니 다   아주많이 요

사랑합니 다   나의예수 님   사랑합니 다   그것뿐예 요

사 랑한다아들 아   내 가너를잘 아노라 -

사 랑한다내딸 아   네 계축복더 하노라 -

사모합니다 326

(Father I Adore You)

Terrye Coelho

사 모합 - 니 다 몸과마음을다 해 나 의 하나님
사 모합 - 니 다 몸과마음을다 해 나 의 예수님
사 모합 - 니 다 몸과마음을다 해 나 의 성령님

327

생명 주께 있네
(My life is in You Lord)

Daniel Gardner

선한데는 지혜롭고

(로마서 16:19 / Romans 16:19)

Dale Garratt, John mark Childers,Ramon Pink & Graham Burt

Romans sixteen Nineteen says Romans sixteen Nineteen says

선 한데는 - 지 혜롭고 - 악 한데는 - 미 련하라 -

선 한데는 - 지 혜롭고 - 악 한데는 - 미 련하라 -

평강 의 주님 속 히 사단을 너희 발 아래에 상하게 - 하리

평강 의 주님 속 히 사단을 너희 발 아래에 상하게 - 하리

G

329

성령님이 임하시면
(성령의 불타는 교회 / Church on Fire)

Russell Fragar

성령 님이임하시면능력 이나타 나 - 모 - 든것이일어날수

있게되죠 - 참 - 선한것이 선한 것이여기일어나 - 네 -

어두움 - 을 - 물리치는 빛이있 네 - 능 - 력힘입어 난두

렵지않네 - 참 - 선한것이 선한 것이여기일어나 - 네 -

성령의 불 타 는교 - 회 - 성령의 불 꽃임 - 하네 - 온마음

다 하여 - 서주이름 높이세 - 우 리의마 - 음불 - 타네 -

그 빛 을전 - 하 기 - 위해 - 사랑 의 불꽃 - 전하 - 세 -

주를위한 - 성령의불 - 타는교 - 회 - -회 -

세상의 유혹 시험이

(주를 찬양)

330

최덕신

세 상의유혹시험이 - 내게 몰려올때 - 에 나 의힘으론그것들 -
거 짓과속임수로 - - 가득 찬세상에 - 서 어 디로갈지몰라 - -
주 위를둘러보면 - - 아 - 무도없는 - 듯 믿 음의눈을들면 - -

모두 이길수없네 - 거 대한폭풍가운데 - 위축 된나의영혼 -
머뭇 거리고있네 - 공 중의권세잡은자 - 지금 도우리들을 -
보이 는분계시네 - 지 금도내안에서 - - 역사 하고계시는 -

어 찌할바를몰라 - 헤매 이고 있 을때 -
실 패와절망으로 - 넘어 뜨리려하네 -
사 망과어둠의권세물리 치신예수님 -

주를 찬 양 손 을들고찬 - 양 전 쟁은나에게속 - 한것아니니 -

주를 찬 양손 을들고찬 - 양전 쟁은하나님께 - 속한 - 것 이 니

G

331 세상 모든 민족이

(물이 바다 덮음 같이)

고형원

세상 모든 민족이 - 구원을 얻기 까지 -

쉬지 않으시는 - 하 나님 - 주의 심장 가지고 -

우리 이제 일어나 - 주 따르게 하소서

세상 모든 육체가 - 주의 영광 보도록 -

우릴 부르시는 - 하 나님 - 주의 손과 발 되어 -

세상을 치유하며 - 주 섬기게 하소서

물이 바다 덮음 같이 - 여호와의 영광을 - 인정하는 것이

온 세상 가득하리라 - 물이 바다 덮음 같이

세상 모든 민족이

Fine

물이 바다덮음같이 물이 바 다 덮음같이 -

보리 라 그날 에 주의 영 광 가득한 - 세 상

우리 는 - 듣게되 리 온세 상가득한승리의 - 함 성

D.S.

G

332 세상이 당신을 모른다하여도

윤주형

세상이 - 당신을 모른 - 다하여도 - 주 님은 그이름 -

마 음에새 겼네   세상이 - 주이 름모른 - 다하기에 -

오 늘도 그이름 열   방에새 기   리   *Fine*

땅의모 든끝 - 이 주께 -   돌아오 게되 - 리

- 잃어 버린영 - 혼들향한 - 아 버지 - 의꿈 - - -

당신 의삶을 - 통해 - 이뤄 - 지 리   -   *D.C.*

손에 있는 부귀보다

(주를 사랑하는가)

김석균

손에 있 는 부귀보 다 주를 더 사랑 하는 가
큰물 결 이 뛰놀아 도 주를 더 찬양 하는 가
언제 다 시 주오실 지 아는 이 가있 는 - 가

이슬 같 은 목숨보 다 주를 더 사랑 하는 가
큰환 난 이 닥쳐와 도 주를 더 찬양 하는 가
신랑 으 로 오실주 님 맞을 준 비되 었는 가

사랑 의 빛 잃어 가 면 주님 만 날수 없 - - 어
깊은 잠 에 빠진 영 혼 주님 만 날수 없 - - 어
기름 없 는 등불 들 면 주님 만 날수 없 - - 어

헛된 영 화 바라 보 면 사랑 할 수도 없 - - 어
근심 걱 정 많은 자 는 찬양 할 수도 없 - - 어
재림 나 팔 소리 나 면 예비 할 수도 없 - - 어

잠시 머 물 이세 상 은 헛된 것 - 들뿐이 니

주를 사 랑 하는 마 음 금보 다 도귀 하 다
주를 찬 양 하는 마 음 금보 다 도귀 하 다
주를 맞 을 준비 함 이 금보 다 도귀 하 다

G

334 수 많은 무리들 줄지어

(예수 이름 높이세)

최덕신

승리는 내 것일세

(There is victory for me)

335

Harry Dixon Loes

*승리 는 내 것 일 세 승리는 내것일 세

구세 주의 보혈 로써 승리는 내것일 세

내 것 일 세 승 리 만 은

구세 주의 보혈 로써 항상 이 기 네

*| 믿음
소망
사랑
구원
응답
축복

G

336

승리하였네
(We have overcome)

Daniel Gardner

승 리 하 였 네 - 어 린 양 의 보 혈 로 -

우 린 보 혈 의 - 능 력 으 로 서 - 리 라 -

승 리 하 였 네 - 어 린 양 의 보 혈 로 -

주 내 게 승 리 주 - 셨 네 - -

십자가 그 사랑

(The love of the cross)

337

Stephen Hah

십자가 그사랑 멀리떠-나서
지나간 일들을 기억하지않고

무너진 나의삶 속에 잊혀진주 은 혜
이전에 행한 모 든일 생각지않 으 리

돌같은 내마음 어루만-지사
사막에 강물과 길을내시 는 주

다시일 으켜세 우신주 를 사랑합니 다
내안에 새일행 하실주 만 바라보리 라

주 너를보호 하 시고 널 붙드시 리

너는보 - 배롭고존 귀한

주님의자 녀 라 주 -의자녀 라

338 아름다운 사랑을 나눠요

아름다운 이야기가 있네 339
(주님의 사랑 놀랍네)

John W. Peterson

아름다운이야기가 있 네　구세주의사랑이야 기
넓고넓은우주속에 있 는　많고많은사람들중 에
사람들은이해할수 없 네　주를보낸하나님사 랑

영광스런천국떠난 사 람　나와같은죄인구하 려
구원받고보호받은 이 몸　주의사랑받고산다 네
이사랑이나를살게 하 네　갈보리의구속의사 랑

주님의그사랑은정말 놀 랍네　놀 랍네　놀 랍네

오 주님의그사랑은정 말 놀 랍네　나를위한그사 랑

G

340 아버지 사랑 내가 노래해

(그 사랑)

박희정

아버지사랑내가노래 해　　아버지은혜내가노래 해
상한갈대꺾지않으시 는　　꺼져가는등불끄지않 는

그사 랑　변함없으 신　거짓없으 신　성실하신그사

랑　　랑　사 랑　그사 랑　날위해

죽으신날위해다 시사신예수그리스도

다시오실그사랑죽음 도　생명도천사도하 늘의어떤

권세도끊을수없 는　영원한그사랑예 수

아침에 주의 인자하심을　341

(시편 92편)

이유정

아침 에 주의인자 하심 -을- 나-타-내시 -며-

밤마 다 주의성실 하 심 -을- 베풂이좋으나이 -다-

여- 호 와께 감 사 하 -며- 주의이름을찬 양

여- 호 와께 감 사 하 -며- 주의이름을찬 양

여 호 와 여 주의 행사가- 어찌그리 크신지 요

주의 생각이 - 심히 깊으 시나이 다 -

아침 에 주의인자 하 심을 나-타-내시 -며-

밤마 다 주의성실 하 심 -을- 베풂이좋으나이 다 -

G

342

약할 때 강함 되시네

(주 나의 모든 것 / You are my all in all)

Dennis Jernigan

약할때 강함되시 네 나의보배가되신 주 주나의모든 것----
십자가 죄사하셨 네 주님의이름찬양 해 주나의모든 것----

주안에있는보물 을 나는포기할수없 네 주나의모든 것
쓰러진나를세우 고 나의빈잔을채우 네 주나의모든 것

예 수 어 린 양 존 귀 한 이 름---- 름

어린 양 찬양

(Praise the Lamb)

Bruce Clewett

343

어린양 찬 양-- 우 리 죄위해 죽으신주님 -
또 죽음에서부-활하신 영원하신 주 할렐 루 --야 -

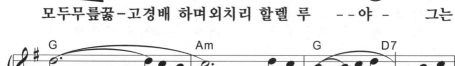

어린양 찬 양-- 오 직 그이름 송축하리라 -

모두무릎꿇-고경배 하며외치리 할렐 루 --야 - 그는

G

주 ---- 그는 주 ---- 그는
그는주 ---- 그는 주 ----

주 ---- 그는 주 ---- 그는 주
그는주 --- - 그는 주 --- 그는 주

344

여기에 모인 우리

(이 믿음 더욱 굳세라 / We will keep our faith)

Don Besig & Nancy Price

여호와 나의 목자

345

여 호 와   나의목 자   내게부 족   없 네
내 영 혼   소생하 며   자기이 름   위 해
주 님 의   지팡이 가   안위하 네   나 를
기 름 을   머리위 에   바르시 는   주 님

푸 르 른   초장위 에   나의몸   누이시 네
의 의 길   인도하 니   골짜기   두렴없 네
주 께 서   원수앞 에   상으로   베푸시 네
평 생 에   선하심 과   인자함   따르리 니

선 한   목 - 자   오나 의   목 - 자 여

생 수 가   넘치는 곳   날인 도   하 - 시 네

346 여호와의 영광을 인정하는 것이

정종원

여 호 와의영광 - 을인정하는것이 세 상에가득하리 - 라 -

여 호 와의영광 - 을인정하는것이 세 상에가득하리 - 라 -

물이 - 바다를 덮음같이 - 가득 - 인정되 리라 -

물이 - 바다를 덮음같이 - 가득 - 인정되 리라 -

영광 높이 계신 주께

(Glory, glory in the highest)

Danny Daniels

영광- 높이계신주께 영광- 전능의구주

어린양께영-광을- 내 살아계신주-님께

- 어 린양께 영광

주께-영광- (영광-) 영광-

(영광---)영광- 영광어린 -양-

주께영-광어-린양- -

G

348

영광을 돌리세
(주님의 영광)

고형원

영 광을돌 - 리세 - 우 리하나 - 님께 - 존 귀와위 - 엄과 -

능력 과아름다움 만 - 방의모든신은 헛 된우상 - 이니 -

오직 하늘의하나님 - 그 영광찬양해   - 주님의

영 광 모 든나라위에 - 주님의 영   광

온세계위에 - 하늘 에 계신 - 우리 아버지 영광찬양해 -

우리 주님나라영원하리라 -   우리 주님뜻은이뤄지리라 -

예수는 왕 예수는 주

(He is the King)

349

Tom Ewig, Don Moen & John Stocker

350 예수님이 말씀하시니

예수님이 말씀하시니 물이변하여 포도주됐네
예수님이 말씀하시니 바디메오가 눈을떴다네
예수님이 말씀하시니 죽은 나사로가 살아났다네
예수님이 말씀하시니 거친바다가 잔잔해졌네

예수님이 말씀하시니 물이변하여 포도주됐네
예수님이 말씀하시니 바디메오가 눈을떴다네
예수님이 말씀하시니 죽은나사로가 살아났다네
예수님이 말씀하시니 거친바다가 잔잔해졌네

예수님 - 예수님 - 나에게도말씀 하셔서 -

새 롭게 - 새 롭게 - 변화시켜주소 서

예수 안에서

351

예수 안에서 - 우리 화 목 됐 네

예수 안에서 - 우리 화 목 됐 네 -

하 나 님 의 영 광 함 께 누 릴 소 망 있 네 -

예 수 안 에 서 - 우리 화 목 됐 네

* 사랑하네
  용서하네
  기뻐하네
  찬양하네

G

352 예수 안에 있는 나에게

구명회 & 박윤호

예수안에있 는 나에게 - 결코정죄함없 네

생명의성령 의법이 - 해방하였 네   해방하였 네

예 수   예 수   오 직예 수 -

예 수   예 수   오 직예 수

죄 와   사망에서 - 나를   구원했 네 - -

죄 와   사망에서 - 나를   구 원했 네

해방되었네   해방되었네   죄와사망의 법에 서

해방되었네   해방되었네   죄와사망의 법에 서

예수의 이름으로

(I will stand)

Chris Bowater

예 수 의 이 름 으 로　나 는 일　어 서 리 라

주 가 주　신 능 력 으 로 －　나 는 일　어 서 리 라

원 수 가　날 향 해 와 도　쓰 러 지　지 않 으 리

주 가 주　신 능 력 으 로　주 가 주　신 능 력 으 로

주 가 주　신 능 력 으 로 일 어 서 리　　　－

G

354 예수 주 승리하심 찬양해

(Jesus we celebrate Your victory)

John Gibson

오 예수님 내가 옵니다 355

고형원

오 예 수 님 내가옵 니 다
그 큰 사 랑 눈물에 겨 워

못박히 신 십자가 앞 에 돌아옵 니 다
울며울 며

주 님손 과발 못박 혔고 - - 머 리엔 가시관박히셨 네

내 모든죄 - 와허물 위해 - 말없 이 피흘려주셨 네

오 예 수 님 나의손 잡 고

이제 부터 - 영원까 지 내구 주가 - 되옵소 서

이제 부터 - 영원까 지 내구 주가 - 되옵소 서

G

356 오 이 기쁨

오 - 이 기쁨 - 　주 님 - 주 신 것 -
앞 뒤 동 산 에 - 　꽃 은 - 피 었 고 -
높 은 하 늘 에 - 　종 달 새 우 짖 고 -
오 친 - 구 여 - 　즐 겁 게 노 래 해 -
손 뼉 치 면 서 - 　즐 겁 게 찬 양 해 -

오 - 이 기쁨 - 　주 님 - 주 신 것 -
내 - 맘 속 에 - 　웃 음 꽃 피 었 네 -
내 - 맘 속 에 - 　기 쁜 - 노 래 있 네 -
오 - 친 구 여 - 　즐 겁 게 노 래 해 -
손 뼉 치 면 서 - 　즐 겁 게 찬 양 해 -

오 이 기쁨 - 　주 님 주 신 것 - 주 께

영 광 할 렐 루 - 야 - 　주 만 찬 양 해 -

오 주여 나의 마음이 357

(시편 57편 / My heart is steadfast)

오주여 나의마 - 음 이 주께로 정해졌 - 으 니

나 - 는주 찬 양 하 리 라 -

깨어라 나의영 - 혼 아 비파와 수금들 - 어 라

이새벽에 내가 - 찬 양 하 리 라 -

멜 - 로 디 - 멜 - 로 디 - 예수님은
예 - - 수 - 예 - - 수 - 예수님은

1. 나 의 노래 -

2. 나 의 노래 -

358

오직 주님만
(Only You(No One But You Lord))

Andy Park

오직 - 주 님만 - 나 의맘의 - 갈급 - 함채 - 우네 -

오직 - 주 께만 - 더 가까이 - 가기를원 - 하 네

주님 만 내갈급함 - 채우 - 네 - 주만 내 게새생명 - 주네 -

주 만 기 쁨내맘에 - 주시 - 네 - 나의기 도응답하 - 시 네

왕의 왕 주의 주

(Lord of lords, king of kings)

Jessy Dixon, Randy Scruggs & John W.Thompson

359

G

360 왜 슬퍼하느냐

(왜)

최택헌

왜 슬퍼하느냐 왜 걱정하느냐

무얼 두려워하느냐 아무 염려- 말아라

큰 어려움에도 큰 아픔있어도

이젠 아무걱정하지마 내가 널붙들어주리

내가 너와 항상 함께 하리-라 내가 너를 지키리라

실망치말고- 나를 보아라 나는 너의하나님이라

우리 함께 모여

(We're togather again)

Gordon Jensen & Wayne Hilton

361

우리함께모여 – 주의이름 찬 양

우리함께모여 – 주를부르 세 - - - - - -

위 대 한 일행하 셨 네 우 리 소 망충만 해 –

우 리함께모 여 – 주의이 름 찬 양

G

362

원컨대 주께서 내게

(야베스의 기도 / The Prayer of Jabez)

이은수

원 컨 대 주께서내게 - 복 - 에 복을 더하사 -

나의 지경을 - 넓히시고 - 주 - 의 손으로 -

나 - 를 도우사 - 나로환난 벗어나 - 근심없 -게 하소서 -

성 령의 충 만을 - 가득히 부 어주 소서

- 오늘내 삶 속에 - 능력의 주 님손 길로

- 나 의 사 는날 - 그모든 순 간을

- 주님의 - -힘으로 - 채우소 서 원 컨 대

D.S.

인생길 험하고
(예수님 품으로)

363

조용기 & 김보훈

인생길 험하고 마음지 쳐　살아갈 용기 없어질 때
평생의 모든꿈 허물어 져　세상의 친구 다떠날 때
어둔밤 지나면 새날오 고　겨울이 가면 봄이오 듯

너홀로 앉 아서 낙심치말 고　예수님 품으로 나-오시 오
어둠에 앉 아서 울지만말 고　예수님 품으로 나-오시 오
이세상 슬 픔이 지나고나 면　광명한 새날이 다-가오 네

예 수님은　나 의생명　믿 음소망　사랑되시니

십 자가 보　혈 자비의손길 로

G

상 처 입은 너　-를 고-치 시 리

364

이 땅 위에 오신
(Hail to the King)

Larry Hampton

G / **Em11**

이 땅 위에 - 오신 - 하나님의 - 본체 -
우리 고대 - 하네 - 주님 오실 - 그날 -

CM7 / **Dsus4** / **D7**

십 자가 - 에달 - 리사 우리죄 사하 - 셨네 -
다 시 사신 - 왕의 - 영광 이땅을 비 - 추네 -

G / **Em11**

하 나 님이 - 그를 - 지 극히 - 높여 -
사 단 의권 - 세는 - 주앞 에무 - 너져 -

CM7 / **Dsus4** / **D**

모 든 이름 - 위에 - 뛰어 - 난 이름을 - 주사 -
생 명 과진 - 리의 - 주권 - 세 가 장높 - 도다 -

C / **Dsus4** / **D** / **Em11** / **Dsus4** / **D**

우리 예수 이름 앞 에절 하 고

C / **B7/D♯** / **Em11** / **Dsus4** / **D**

모 든 입이 주 를 시인 - 해

C / **Dsus4** / **D** / **Em7** / **D** / **C**

영 광 중에 오실 주를 보 리 라

이 땅 위에 오신

선포 - 해 - 왕 께 만세 - 존
귀 와 위 엄 - 을 찬 양 해 왕 의 왕 께 만
세 주 - 예 - 수 하 나 님 -

G

365 일어나라 주의 백성

이천

일어나라주 - 의백성 - 빛을발 - 하라 -

주가너의 영 - 광으로 - 임하시 리라 -

온세상이 어 - 둠 속에 헤 - 매고 - 있지만 -

주가너와 함 - 께 계 셔 회 - 복을명하리라 -

일 어 나 라 - 빛을 발 하 라 -

만백성이 - 너의빛 - 을보 - 고 - 사방에서나아오네

- 일 어 나 라 - 빛을 발 하 라 -

만백성이 - 자유함 - 을얻 - 어 - 기 뻐 하는도다 -

일어나라 찬양을 드리라 *366*

(일어나 찬양 / Arise and sing)

Mel Ray

일 어 나라 찬 양 을드리라우릴 구 원하신 주 께

일 어 나 라 찬 양 을드리라우릴 구 원하신 주 께

마음열고주 님앞 에 기 뻐해   마음열고주 님앞 에 기 뻐해

마음열고주 님앞 에 기 뻐해주님 은 우 리 왕

G

367 저 멀리뵈는 나의 시온성

(순례자의 노래)

저 멀 리뵈는 나 의 시 온 성 오 거 룩한곳
아 득 한나의 갈 길 다 가 고 저 동 산에서

아 버 지 집 　 － 　 내 사 모 하 는 집 에
편 히 쉴 때 　 － 　 내 고 생 하 는 모 든

가 고 자 한 밤 을 새 웠 네 －
일 들 을 주 께 서 아 시 리 －

저 망 망 한 바 다 위 에 이 몸 이 상
빈 들 이 나 사 막 에 서 이 몸 이 곤

할 지 라 도 　 － 　 오 늘 은이곳 내 일 은
할 지 라 도 　 － 　 오 내 주예수 날 사 랑

저 － 곳 주 복 음 전 하 리 －
하 － 사 날 지 켜 주 시 리 －

저 바다보다도 더 넓고 368

(내게 강 같은 평화)

이혁진 편곡 & Negro Spirilual

G

369 저 죽어가는 내 형제에게

(메마른 뼈들에 생기를)

고형원

저 죽어가는 - 내형제 에게 - 생명을 주소 서 흑
소망없는 - 텅빈가 슴에 - 새날을 주소 서 고

암의권세 - 에매여 - 내일 을빼앗긴 - 저들에 게 저

통의명에 - 에매여 - 신음 하고있는 - 저들에

- 아버지여 이백성 다시 살게하소서

묶었 던자 자유케되 는 영광 의날을주 - 소 서

아버지여 이나라 주의 것되게하 - 소 서

영원 하신 하늘아버 지 다시 섬기게하소 서

Fine

저 죽어가는 내 형제에게

메 마른뼈들에 – 생 기를 부어주소서 –아버지 의긍휼–

주의군대로 –서계하 소서 성령의바람 – 이제불어 와

D.S.

주님 사랑해요 370

이정림

주님 – *사 랑 해 요 – 주님 – *사 랑 해 요 –

말 하지 않아도 표 현다 못해도 주님 – *사 랑 해 요 –

*|찬양
|감사

371 정결한 마음 주시옵소서

(Create in me a clean heart)

Keith Green

정 결한맘주시옵소서 - 오 - - 주님 -

정직한영을 새 롭게하소 서 - 정 -

나를 주님앞 - 에 서 멀리 하지 마시 고

주의 성 령을 거 두지마옵소 서 -

그 구 원의 기쁨 - 다시 회 복시키 시 - 고

변치않는맘 내 안에주소 서 -

죄 많은 이 세상은

(이 세상은 내 집 아니네)

죄 많은 이 세상은 내 집 아니요 내 모든 보화는
저 천국에서 모두 날기다리네 내 주 예수 피로
저 영광의 땅에 나 길이 살겠네 손 잡고 승리를

저 하늘에 있네 저 천국문을 열 고 나를 부르네
죄 씻음 받았네 나 비록 약하나 주 님 날 지키리
외 치는 성도들 이 기쁜 찬송 하 늘 울려 퍼지네

나 는 이 세상에 정 들 수 없도 다

오 주 님 같 은 친구 없도다 저 천국 없으면

난 어떻게 하나 저 천국문을 열 고 나를 부르네

나 는 이 세상에 정 들 수 없도 다

G

373 죄악에 썩은 내 육신을

(주님의 빚진 자)

김석균

죄악에썩은 내 - 육신을 주님이 쓰시려했 네 - -
먹물로칠한 내 - 육신을 주님이 희게하셨 네 - -
평생갚아도 빚진자되어 주님의 빚진자되 어 - -

죽음의덫에 걸려있는몸 주님이 쓰시려했 네
십자가보혈 증거하라고 주님이 살리 - 셨 네
주님가신길 택하였지 만 눈물만 솟구 - 치 네

속죄하는손 치유하시고 속죄하는발 치유하셨 네
기도할때에 음성주시고 찬송할때에 기쁨되시네
생명주신이 주님이시라 능력주신이 주님이시라

새생명얻은 이몸다바쳐 주님께 영광돌리 리
내작은입이 내작은몸이 주님의 붙들린자 라
말씀전하여 복음전하여 주님의 빚을갚으 리

주 계신곳 나 찾으리

(날 새롭게 하소서)

정장철

374

주 계 신곳 - 나 찾 으리 - -

주 님 앞에 - 나가 - 주 뵈 오리 -

날 새롭게하 - 소서 - 날 새롭게하 - 소서 -

날 새롭게하 - 소서 - 주님 - 이 시간 -

내 모 든것 - 맡 기 리라 -

나의연약한모 습 주 - 님 고 치리 - 이 시 - 간 -

날 새롭게하 - 소서 - 날 새롭게하 - 소서 -

날 새롭게하 - 소서 - 주님 - 이 시간 -

G

375 주 날 구원했으니

(멈출 수 없네)

심형진

주 날 구원했 - 으니 - 어찌 잠잠하 - 리 -
주 내 죄 사했 - 으니 - 어찌 잠잠하 - 리 -

기쁨의 - 찬송 드 - 리리
기쁨의 - 경배 드 - 리리

주를 향 - 한 - 나의 사 - 랑 -

멈출 수 없 - 네 - 멈출 수 없 - 네 -

나 - 기쁨의 춤 추리 - - 내

1. 모든 슬 - 픔 바 꾸셨네 - -

2. 모든 삶 - 주 안 - 에 - 있네

주님 가신 길

376

김영기 & 최형섭

G

377

주님과 같이
(There is none like You)

Lenny LeBlanc

주님과 같 - - 이 - 내마음 - 만지는 분은없네 -

오랜세 - 월찾아 난알았네 - 내겐 - 주밖에 없 - - - 네 -

Fine

주 자비 강 - 같이 흐르 - 고주 손길치 - 료 - 하 - 네

고통받는 - 자녀품 - 으 - 시 - 니 주밖에 없 네

D.C.

주님께 찬양하는

378

현윤식

G

379 주님 내 길 예비하시니

(여호와 이레)

홍정표

G / C / G / D / G

주님 내 길 예비하시니 나 기뻐합니다
주님 내게 평화주시니 나 기도합니다
주님 내게 승리주시니 나 찬송합니다
주님 나를 치료하시니 참 감사합니다
주님 나를 사랑하셨네 날 구원하셨네

G / C / G / D7 / G

주님 내 길 예비하시니 나 기뻐합니다
주님 내게 평화주시니 나 기도합니다
주님 내게 승리주시니 나 찬송합니다
주님 나를 치료하시니 참 감사합니다
주님 나를 사랑하셨네 날 구원하셨네

G / C G D7 / G

여 - 호와 이 레 여 - 호와 이 레
여 - 호와 샬 롬 여 - 호와 샬 롬
여 - 호와 닛 시 여 - 호와 닛 시
여 - 호와 라 파 여 - 호와 라 파
할 렐루야 아 멘 할 렐루야 아 멘

G / C / G / D7 / G

주님 내 길 예비하시니 여 - 호와 이 레
주님 내게 평화주시니 여 - 호와 샬 롬
주님 내게 승리주시니 여 - 호와 닛 시
주님 나를 치료하시니 여 - 호와 라 파
주님 나를 사랑하셨네 할 렐루야 아 멘

주님여 이 손을

380

Anonymous

주 님 여 이 손 을 꼭 잡 고 가 소 서 -
인 생 이 힘 들 고 고 난 이 겹 칠 때 -

약 하 고 피 곤 한 이 몸 을 -
주 님 여 날 도 와 주 소 서 -

폭 풍 우 흑 암 속 헤 치 사 빛 으 로 -
외 치 는 이 소 리 귀 기 울 이 시 사 -

손 잡 고 - 날 인 도 - 하 소 서 -

G

381

주님은 신실하고
(Sweeter Than The Air)

Scott Brenner & Andre Ashby

주님 - 은 - 신실하고 - 항상거기 - 계 - 시 네

- 주사랑을뭐 - 라할까 - 주사랑 - 이내생

명보다귀 - 하 - 고 - 주사랑 - 이파도 보다더강 - 해 - 요

- 세월이 - 가고꽃 은시들어도 - 주사랑 - 영원해 - 주님

- 사랑 - 신실해 - 요 - 사랑 - 신실해 - 요 -

주님 한 분 만으로

382

박철순

주님 한분만으로 – 나는 만족 – 해 – 나의 모든것되신 – 주님

찬 양 – 해 – 나의 영원한생명 – 되신 예 수 – 님 –

목 소리높 – 여찬 양 해 주님의 크신 사랑찬 – 양해 –

나의 힘 과 능 력 – 이 되신 – 주 – 나의 모든삶 –

변화 되었 – 네 – 크신 주의사랑 찬 양 해

383 주님의 영광 나타나셨네
(The Lord has displayed His glory)

David Fellingham

주님의 - 영광 나 - 타 나 셨네 -

권능으 - 로 임하 - 셨네 -

죽음에서날 - 살리신 주성령 - 놀

라우 - 신 주 하나님 - 할렐

루야주의나라가 - - - 할렐

눈먼자는 - 눈을뜨며 -

주님의 영광 나타나셨네

루 야 임 하 소 - 서 - - - -

- - 저 는 자 는 - 걷 게 되 리 -

나 는 선 포 하 - 리 만 왕 의 왕 예 - 수

주 의 나 라 임 하 시 네 - -

G

384 주 보좌로부터

(주님의 강이 / The river is here)

Andy Park

주 보좌-로-부터 물이-흘러 닿 는곳-마-다새 로워지네-
주 님의-강-이충 만케-되네 닿 는자-마-다치 유케되네-
주님-의-산에 올라-가리 주계-신-보좌 찾-으러-

골짜-기-를지나 들판-으로 생수-의강물 흘 러넘-치네
그 강가-에-있 는병든-자들 주갈-급하며 돌 아오-리라
그 강변-에-우-리 달려-가서 춤을-추-며주를 찬양-하리

주 님의강이-우릴 즐겁-게-해 주 님의강이- 춤 추게-해-

주 님의강이 우릴 새롭-게-해 기쁨-으로 충 만케하네-

주 예수 기뻐 찬양해

(Celebrate Jesus)

Gary Oliver

385

주 예 수 기-뻐 찬 -양해

주 예 수 기-뻐 찬 -양해

부활하 - -신- 우리 주 - - -님- 영원 히

- 다스리네 - 부활 하 -신 - 우리 주 - - -님

- 다와서찬 -양해- - 부활하신 -주찬 -양 -해 -

G

386 주 예수의 이름 높이세

(We want to see Jesus lifted high)

Doug Horley

주예수의이 - 름높 - 이 세 - 온땅을덮는 - 깃발 - 처럼

- 모든사람진 - 리를보며 - 길되신주 - 를알 - 리

주예수여 주예수여 높임을받으 - 시옵 - 소 서

- 주예수여 주예수여 높임을받으 - 시옵 - 소서

- 한걸 음 씩전 - 진 하 - 며 이땅을 정복 해 - 가 네

- 기 도 로 무기 - 삼으 - 면 원수 는 무너지리

- 무너 - 지 리 - 라 -

D.C.

주 우리 아버지

(God is our Father)

Alex Simon & Freda Kimmey

주 우리 아버지 - 우리는 그분의자 - 녀

예수우 리 형제 - 손에 손 잡고하나되어 함께걸 - 어가 리

주 께 찬 송 해 탬버 린으로
주 께 찬 송 해 춤을 추면서

주 께 찬 송 해 손뼉 쳐

해 - 목소리 로 랄랄 라 라랄라라 - 랄라

랄랄라 라랄라라 - 라 랄랄라 라랄라라 - 랄라

랄랄랄랄 랄라라 - 라랄 라 -

G

388

주의 이름 높이며

(Lord I lift Your name on high)

Rick Founds

주의이름높–이 며   주를찬양하–나 이 –다

나를구하러–오 신   주를기뻐하–나 이 –다

하늘영광 버리고 – 이 땅 위에   십자가 –를지시고

– 죄 사 –했 네 무덤에–서일어나 – 하늘로–올리셨네

– 주 의 이 름 높–이 –리 –   –

주의 이름 송축하리

(The name of the Lord)

Clinton Utterbach

389

주의이름송축하리 - 　　주의이름송축하리 - - -
거룩하신주의이름 - 　　거룩하신주의이름 - - -
영광스런주의이름 - 　　영광스런주의이름 - - -

지존하신주의이름 - 찬 - 양 -
거룩하신주의이름 -
영광스런주의이름 -

- 찬 - 양 - - 주님의이름 - 은 -

Fine

강한성 - 루 - 그곳에달려 - 간 - 자

안전 - 하리 - 안전 - 하리 -

D.C. al Fine

G

390 주의 인자하심이 생명보다

정종원

주의인자 - 하심이 생명보다 - 나으 프로내 - 입술은 주를찬양

주의인자 - 하심이 생명보다 - 나으 프로내입술은주 찬양 -

이러므로 - 내평생에 주 를 - 송축하며 주의

이름으로 - 인 하여 내손을 들리 - 라 - - 찬양 -

죽임 당하신 어린 양

391

고형원

G

죽 임 당하신 어린 양　　모든 족속과방언
임 당하신 어린 양　　우리 들을나라와

백성 과나라가운데서 - 우리를피로 사 서
제사 장삼아주셨으니 - 우리는주와 함 께

하 나 님 께 드 리 셨 네　　죽 리
이 땅 에 서 다 스 리

죽 임당하신어 - 린 양　능 - 력과부와지혜 힘 과존귀와영광

찬 송받으시 - 기 에　합 당 하 신 어 린 양

392 지존하신 주님 이름 앞에

(Jesus at Your name)

Chris Bowater

지존하신주님이 름앞에 모두무릎꿇고다 경배해 –

거룩하신주님보 좌앞에 엎드려절 – 하 세

예 수 는 그리스도 예 수 는주

하 나 님의 영으로 – 경배드 – 리리 –

지치고 상한 내 영혼을

(주여 인도하소서)

393

최인혁

지 치 고 - - 상 한 내 영 혼 을 - 주 여 받 아 주 소 서 -

내 가 주 께 로 지 금 가 - 오 니

버 림 받 고 - - 깨 진 나 의 마 음 을 - 주 여 받 아 주 소 서 -

내 가 주 께 로 지 금 갑 니 다

험 한 세 상 에 나 혼 자 있 게 마 시 고

오 주 여 - 나 를 인 도 하 소 서 - -

거 친 비 바 람 - 불 어 올 때 나 를 보 호 하 시 고 - -

오 주 여 - - 나 를 인 도 하 - 소 서

394 찬송을 부르세요

찬 송 을 부르 세 요　찬 송 을 부르 세 요
기 도 를 드리 세 요　기 도 를 드리 세 요
서 로 사 랑하 세 요　서 로 사 랑하 세 요
말 씀 을 들으 세 요　말 씀 을 들으 세 요
항 상 기 뻐하 세 요　항 상 기 뻐하 세 요
모 두 용 서하 세 요　모 두 용 서하 세 요

놀 라 운 일 이 생 깁 니 다　찬 송 부르 세 요
놀 라 운 일 이 생 깁 니 다　기 도 드리 세 요
놀 라 운 일 이 생 깁 니 다　서 로 사 랑해 요
놀 라 운 일 이 생 깁 니 다　말 씀 들 으세 요
놀 라 운 일 이 생 깁 니 다　항 상 기 뻐해 요
놀 라 운 일 이 생 깁 니 다　모 두 용 서해 요

395 찬양하라 내 영혼아
(Bless the Lord, oh my soul)

Margaret Evans

찬 양 하 라　내 영 혼 아　찬 양 하 라　내 영 혼 아

내 속 에 있 는 것 들 아 다 찬 양 하 라

창조의 아버지

(Father of creation)

David Ruis

1. 창조 - 의아버 - 지   그 섭리보 - 이사 -
   주의 - 크신능 - 력   만물이사모하니 -
2. 열방 - 의통치 - 자   세상이보 - 리라 -
   우릴 - 돌아보 - 사   강건케하 - 소서 -

택하신세대일으 키 - 어   이땅을고치소서 -
성령의기름부어 주 - 사   이시간임하소서
신실한주의약속 으 - 로   교회는승리하리 -
연약함모두벗어 지 - 고   승리케하옵소서

- 주영광 여기 - 임하사 -   열방향

- 해그빛 - 비추 소서   주의얼굴구 - - 할때

- 주의 향기 머무 소 - -서

G

397 천년이 두 번 지나도

전종혁 & 조효성

천년 이두번 – 지나 도 변하 지 않는것 –

당신 을 향한 – 하나님의 – 사랑이에요 –

천년 이두번 – 지나 도 바꿀 수 없 는것 –

당신 을 향한 – 하나님의 – 마음이에요 –

당신 의삶을 – 통해 – 하나 님영광받으시고 –

우리 가하나 – 될때 주님나라 이뤄지죠 –

당신을 향 한하나님의 – 선하신계획 –

우리의 섬김과 – 나눔으로 – 아름 답게열매맺어 요

천년이 두 번 지나도

C M7/D G2 Am7 D G

하나 - 님 은당 - 신을 - 통해 - 그 의마 - 음을 -

C2 G/B Am7 C/D D

그의 사 랑과 - 그의용 서를 - 나 타내 기원 해요 -

G/B D/C C D D/F♯ G D/F♯ Em7

천년 이두번지 나도 - 당신 은하나님 의사람 - 이죠 -

C2 Dsus4 G2

천 년 이 가도 - 영 원 히

G

398

캄캄한 인생길

(달리다굼)

현윤식

1. 캄 캄 한 인-생길 홀로 걸 어가 다
   운 죄-악의 길을 걸 어가 다
2. 주님 을 떠-나서 세상 을 향-해
   의 어-려움 절망 가운-데

지치 고 곤하--여 내영혼 깊 은잠이 들었었 네 어두
상하 고 찢기--어 내영혼 깊 은잠이 들었었
맘대 로 고집-하 며 내영혼 먼 곳으로 나갔었 네 인생
눈물 과 한숨--과 내영혼 슬 픔속에 잠이드

네 내 -영혼 어둠속에 방 황할 때
네 주 -님을 떠나-서 방 황할 때

어 디선 가 들 려오는 주 님음 성

깨어라 일어나 라 달 리 다굼 일어나 라

일 어나라 죄악 에 잠 자 던영혼--아

캄캄한 인생길

달 리다 굼 깨어 라 일 어 나 걸-어 라

어 둠 은 물러 가 고 새날 이 다가오 네

주님 오 실날 멀잖았 네 어둠속 에 잠자 던 영혼 일어 나 라

일 어 나 걸-어 라 달 리 다 굼 일어나 라

G

399 축복하소서 우리에게

이천

축복 하 소서 -   우 - 리 에게 -

날마다 새롭게 -   태 어나도 록   록

Fine

주는 아 버지 - 우 - 리 - 는주의자 녀

주님 두 팔로 -   안 아 주소서 -

D.C.

하나님께로 더 가까이 400

(Nearer to God)

Stephen Hah

하 나 님께로   더가까이 갑니다

고 통가운데   계신주님   -

변함 없 는주님의   크신사랑   -

영원 히   주님만을   섬기 리

G

하나님께서 당신을 통해 401

김영범

하나님께서   당신을통해 메마른땅에 샘물 나게하시 기를

가난한영혼 목마른영혼 당신을통해 주사 랑알기 원 하네 -

402 하나님께서는 우리의 만남을

(우리 함께 / Together)

Rodger Strader

하늘의 나는 새도

(주 말씀 향하여 / I will run to You)

Dalene Zschech

G

404 해 아래 새 것이 없나니

(새롭게 하소서)

이종용

해아래 새것이 - 없나니 이 죄 인살 리신 주

보라새 롭게 된이 피조물 주의 놀라 운권 능

찬 양 하세우리 주 오 주 여영광받 으소 서

새 롭게 하소 서 새 롭게 하소 서

새 롭게 하소 서 늘새 롭게 하소 서

호산나
(Hosanna)

Carl Tuttle

호 산 - 나 호 산 - 나 호 산나높은곳에 서
영 - 광 영 - 광 왕의왕께영광 을

호 산 - 나 호 산 - 나 호 산나높은곳에 서
영 - 광 영 - 광 왕의왕께영광 을

주의이름높여 - 다찬양하라 -

귀하신주나의 하 나 님 주 님께영광돌 리 세

G

406 그는 여호와 창조의 하나님

(창조의 하나님 / He is Jehovah)

Betty Jean Robinson

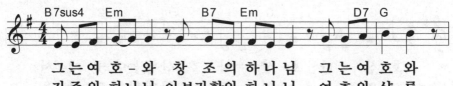

그는여호-와 창 조의하나님 그는여호와
지존의 하나님 아브라함의 하나님 여호와 샬 롬
여호와 이-레 그는 나의 공급자 구 원의하나님

전능의 하나님 길르 앗의 향료요 반 석의 하 나 님
평강의 하나님 이스라엘의 하나님 영 원한 하나님
구주의 하나님 아 들을 보내어 그를증거 하셨네

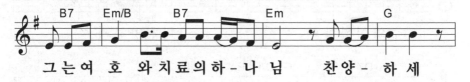

그는여 호 와치료의하-나 님 찬양-하세

할렐-루야 찬양-하세오-할렐루야 그는여 호-와

전능의 하나님 그는여 호 와치료의하-나 님

온 땅이여 주를 찬양

(Sing to the Lord all the earth)

407

Miles Kahaloa & Kari Kahaloa

G

408

우리 주의 성령이

(When The Spirit Of The Lord Is Whitin My Heart)

Margaret Evans

우리 주의성령이 내게임 하 여 주를 찬 양합-니- 다
우리 주의성령이 내게임 하 여 손뼉 치 며찬양합니 다
우리 주의성령이 내게임 하 여 소리 높 여찬양합니 다
우리 주의성령이 내게임 하 여 춤을 추 며찬양합니 다

우리 주의성령이 내게 임 하 여 주를 찬 양합-니- 다
우리 주의성령이 내게 임 하 여 손뼉 치 며찬양합니 다
우리 주의성령이 내게 임 하 여 소리 높 여찬양합니 다
우리 주의성령이 내게 임 하 여 춤을 추 며찬양합니 다

찬양합 니다 찬양 합 니다 주를 찬 양합 니 다
손뼉 치 면서 손뼉 치 면서 주를 찬 양합 니 다
소리 높 여서 소리 높 여서 주를 찬 양합 니 다
춤을 추 면서 춤을 추 면서 주를 찬 양합 니 다

찬양 합 니다 찬양 합 니다 주를 찬 양합 니 다
손뼉 치 면서 손뼉 치 면서 주를 찬 양합 니 다
소리 높 여서 소리 높 여서 주를 찬 양합 니 다
춤을 추 면서 춤을 추 면서 주를 찬 양합 니 다

갈릴리 마을 그 숲속에서

(가서 제자 삼으라)

최용덕

갈 - 릴리마을 그 숲 속 에서 - -

주님 그 열 한 제자 다 시 만나시사 -

마지 막 그 들에게 말 씀 하 시 기 를 -

너희 들은 - 가라 저 세 상 으 로 -

가 서 제 자 삼 으 라 세 상 많 은 사람 들 을

세 상 모 든 영혼 이 네게 달 렸 나 니 -

가 서 제 자 삼 으 라 나 의 길 을 가 르 치 라

내 가 너 희 와 - 항 상 함 께 하 - 리 라 -

410

감사하신 하나님

(에벤에셀 하나님)

홍정식

거룩한 성전에 거하시며 411

(We sing alleluia)

Walt Harrah

거룩 한 성전에거 하시며 하 늘 보좌에계신- 주
오 아 름다운주의영 - 광 승 리 의함성들리- 네
거 룩 한 성전에계신 - 주 우 리 주님앞에서- 서

주 가 베푸신모든 사 랑 우 리 찬양을주님 께
죽 임 당하신어린양 께 우 리 큰소리외치 며
이 전 의성도들과 함 께 주 보 좌앞에엎드 려

찬 양 할 렐루야 할 렐루 야 할 렐루 - 야

찬 양 할 렐루야 할 렐루 야 할 렐루 - 야

A

412

고개들어
(Lift up your heads)

Steve Fry

고 개 들 어 주 를맞 이 해

엎 드 리 어 경 배 하 며 찬 양

왕 의 위 엄 을 신 령 과 진 정 한

찬 양 으 로 영 광 돌 려 만 왕 의 왕 께

괴로울 때 주님의 얼굴 보라 413

(In these dark days)

Harry John Bollback

괴로울 때 주님의얼굴 보라 평화의 주 님바라보아 라
힘이없 고 네마음연약 할 때 능력의 주 님바라보아 라

세상에 서 시달린친구 들 아 위로의 주 님바라보아 라
주의이 름 부르는모든 자 는 힘주시 고 늘지켜주시 리

눈을들 어 -주를보라 -네모든 염 려주께맡겨 라

슬플때 에 주님의얼굴 보 라 사랑의 주 님안식주리 라

A

414 교회여 일어나라

전은주

교회여일어나- 라 - 주께서부르시 니 - 두려움과 실패
교회여일어나- 라 - 주께서보내시 니 -우 릴부르신 삶의

내려놓고 교회 여일어나라 - - - - 우린 세상의빛 -
자리에서 교회 여일어나라 - - - (어둠

하나 님의편지 주의 교횔통해
을밝 히는) (주를 나 타 내는)

세상이 주 를보리 라 - 일어나라 아버지사랑으
(우릴통해) 노래하라 아버지의사랑

로 - 아버지능력으 로-- 서로 하나되어
을 - 아버지의크심 을-- 이삶 의노래로

그빛을 -비추 라 - 라 - 일어나라 - -
주님을나타내

그 날이 도적같이 415

김민식

A / **AM7** / **Bm** / **Bm7**

그 날이 도적같이 이를 줄
평강의 하나님이 너희를

Esus4 / **E** / **A** / **A7**

너 희는 모 르느냐 -
거 룩하게 하시고 -

D / **DM7** / **A** / **F#m**

늘 깨어 있으라- 잠들지 말아라-
온 몸과 영혼이- 주오실 그날에-

Bm7 / **E** / **A**

주 님과 동 행하 라 -
흠 없기 원 하노 라 -

D / **A** / **F#m**

항상 기- 뻐하라- 쉬지말 고 기도하라-
이는 예수 안에서- 너희에 게 향-하신-

1. E / **E7** / **A** / **A7**

범 사에 감 사하 라 -

2. Bm / **E7** / **A** / **D/A** / **A**

하 나님 뜻 이니 라 -

A

416 나 가진 재물 없으나

(나)

송명희 & 최덕신

나는 찬양하리라

417

(I sing praises to Your name O Lord)

Terry MacAlmon

나는찬양하리 라 주 - 님 그이름찬 양
나는영광돌리 리 주 - 님 영광의이 름

예 - 수 크신주 이름 나 찬양하리 라

나는찬양하리 라 주 - 님 그이름찬 양
나는영광돌리 리 주 - 님 영광의이 름

예 - 수 크신주 이름 나 찬양하리 라 -

A

418 나를 사랑하는 주님

나를사랑하는 주 님　나를위해죽으시 고
나를사랑하는 주 님　나의목자되시어 서

부활승천하시어 서　나의주가되셨 네
나를항상인도하 니　주만따라가리 라

주 오시면 － 천국에서

주님과살리라 －영원토록

주오시 면 － 천국에서

주님과살리라 －영원토록

나의 가장 낮은 마음
(낮은 자의 하나님)

양영금 & 유상렬

나의가-장- 낮은마-음- 주님께-서- 기뻐하-시고
내가지-쳐 무력할-때- 주님내-게- 힘이되-시고

작은일-에- 큰기쁨-을- 느끼게하시는도 -다-
아름다-운- 하늘나-라 내맘에주시는도 -다-

우리에게- 축복하신- 하나님사랑 -

낮은자를- 높여주시고 - -

아름다운- 하늘나라- 허락하시고 -

내모든-것- 예비하시네 - -

찬양함에 기쁨을- 감사함에 평안을-

간구함에 하나님- 알도록- 하셨네 -

A

420 나의 모든 행실을

나의 모 든행실을 주여 기 억마시 고 바른 길 로인도
나의 모 든실수를 주여 용 서하시 고 바른 길 로인도
이땅 위 의모든 것 마지 막 날될때 에 주여 나 를받아

하 소 서 — 기쁠 때 나슬플 때 나와
하 소 서 — 주의크 신사랑과 하늘
주 소 서 — 주의얼 굴대할 때 귀한

동 행하시 며 밤낮으 로인도하 소 서 —
나 라영광 을 나도전 파하게하 소 서 —
상 급주시 고 면류관 을쓰게하 소 서 —

내 모 든형편을 다 기 억하시 고 늘 나 와동행

하옵 소 서 — 나의생 명주앞 에 남김

없 이드리 니 주여 나 를지켜 주 소 서 —

나의 믿음 주께 있네

(In christ alone)

Don Koch & Shawn Craig

A

422 나의 반석이신 하나님

(Ascribe greatness)

Mary Kirkbride & Mary Lou Locke

나의 반석이신 하나님 행하신
모든 것 완전하시니 – 나의
생명되신 하나님 내게행 하신일 찬 양합니
다 – 신 실 하 신하나 – 님 실수 – 가
없으 – 신 – 좋 으 신 나의주 – – – – –
신 실 하 신하나 – 님 실수 – 가 없으 – 신 –
좋 으 신 나의주 –

나의 백성이

(Heal our land)

Tom Brooks & Robin Brooks

나의 안에 거하라

424

류수영

나의 안에 거 하라 – 나는 네 하나 님 이니 – 모든

환난 가운데 – 너를 지키 는 자라 – 두려 워하지말라 – 내가 널

도와주리니 – 놀라 지말라 – 네손 잡아주리라 – 내가 너를

지 명하 – 여불렀나 – 니 너는 내 것이라 – 내 것이라 – 너의

하 나 님 이라 – 내가 너를 보 배롭 – 고 존 귀하 – 게

여 기노라 – 너를 사랑하 – 는 네 여호와라 –

나의 영혼이 잠잠히

(오직 주만이)

425

이유정

426 나의 힘이 되신 여호와여

최용덕

나 자유 얻었네

나자유 얻었네 너자유 얻었네 우리자유 얻-었 네 - -
나구원 받았네 너구원 받았네 우리구원 받-았 네 - -
나성령 받았네 너성령 받았네 우리성령 받-았 네 - -
나기뻐 하겠네 너기뻐 하겠네 우리기뻐 하-겠 네 - -
나은혜 받았네 너은혜 받았네 우리은혜 받-았 네 - -
나믿음 얻었네 너믿음 얻었네 우리믿음 얻-었 네 - -
나감사 하겠네 너감사 하겠네 우리감사 하-겠 네 - -

나자유 얻었네 너자유 얻었네 우리자유 얻-었 네 -
나구원 받았네 너구원 받았네 우리구원 받-았 네 -
나성령 받았네 너성령 받았네 우리성령 받-았 네 -
나기뻐 하겠네 너기뻐 하겠네 우리기뻐 하-겠 네 -
나은혜 받았네 너은혜 받았네 우리은혜 받-았 네 -
나믿음 얻었네 너믿음 얻었네 우리믿음 얻-었 네 -
나감사 하겠네 너감사 하겠네 우리감사 하-겠 네 -

주말씀 하시길 죄사슬 끊겼네 우리자유 얻-었 네 할렐루야

A

428

날 구원하신 주 감사
(Thanks for God for my redeener)

Arr. Roy Brunner & John A Hultman

날구원 하신주감 사 모든것 주심감사
응답하 신기도감 사 거절하 신것감사
길가에 장미꽃감 사 장미꽃 가시감사

지난추 억인해감 사 주내곁 에계시네
헤쳐나 온풍랑감 사 모든것 채우시네
따스한 따스한가 정 희망주 신것감사

향기론 봄철에감 사 외론가 을날감사
아픔과 기쁨도감 사 절망중 위로감사
기쁨과 슬픔도감 사 하늘평 안을감사

사라진 눈물도감 사 나의영 혼평안해
측량못 할은혜감 사 크신사 랑감사해
내일의 희망을감 사 영원토 록감사해

Copyright © Lillenas Publishing Company.
Administered by CopyCare Asia(service@copycare.asia), All rights reserved. Used by permission.
Authorised Korean translation approved by CopyCare Asia

내가 만민중에

(Be exalted)

Brent Chambers

430

내 마음 다해
(My Heart Sings Praises)

Russell Fragar

내 마음 다해 - 주이름 찬양 - 해 -

주사랑 깊어 - - - - 말로다 못 하 네

주 앞서 가며 - 길을만 드시 - 네 -

오직내 갈망 - - - - 영원히 주 찬 양

내 맘 에 힘이되신 - 주 - 영원한 - 빛이되 - 신주 -

내모 든 호 흡이주의행하 - 심찬 - 양해 -

주 는 위 대한통 치 - - 자 - 내모든 것 주께순복해 -

내 삶을 주의불로 - 채우 - 소서 -

내 마음에 주를 향한 사랑이 431

(십자가의 길 순교자의 삶 / The way of cross the way of martyr)

Stephen Hah

내마음에주를향한 사랑이 –　나의말엔주가주신 진리로 –
내입술에찬 – 양의 향기가 –　두손에는주를닮은 섬김이 –

나의눈에주의눈물 채 워 주 소 서　　　　　서
나의삶에주의흔적 남 게 하 소

하나 님 의 사 랑 이 –　영 원 히 함 께 하 리 –

십자 가의길을걷는자에 게　순교 자의삶을사는이에 게

조 롱 하 는 소 리 와 –　세 상 유 혹 속 에 도 –

주의 순결한신부가되리 라　내생 명 주 님 께 드 리 리

432 너의 하나님 여호와가

(스바냐 3장 17절)

김진호

너 의 하나님 여 호와 가 너 의 가운데 계시 니 -

그 는 구원을 베 푸실 전능자 전능자시 - 라 -

그 가 너로 인하여 기 쁨을 이 기지 못하시 며 -

너를 잠 잠 - 히 사 랑 하 시 - - 며 - - - - -

즐 거이 부르며 기 뻐 기뻐 하시리 라 -

당신의 그 섬김이

(해같이 빛나리)

김석균

당신의 - 그섬김 이 천국 에서 해같이빛나 리
당신의 - 그순종 이 천국 에서 해같이빛나 리

당신의 - 그겸손 이 천국 에서 해같이빛나 리
당신의 - 그사랑 이 천국 에서 해같이빛나 리

당신의 - 그믿음 이 천국 에서해같이빛나 리
당신의 - 그찬송 이 천국 에서해같이빛나 리

당신의 - 그충성 이 천국 에서 해같이빛나 리
당신의 - 그헌신 이 천국 에서 해같이빛나 리

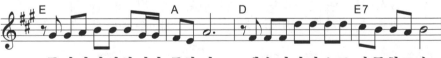

주님이기억하시면 족하리 예수님사랑으로 가득한모습

천사도흠모하는 아름다운그모습 - 천국 에서해같이빛나 리

434 당신은 지금 어디로 가나요

(예수 믿으세요)

김석균

당신 은 지금 - 어디 로 가나요 발 걸음무겁 게
은 오늘 - 누굴 만 났나요 위 로 받았나 요
를 믿고 - 새롭 게 되니 - 기 쁨이넘쳐 요

이세 상 어디 쉴곳 있 나요 - 머 물 곳있나 요
이세 상 누가 나를 대 신하여 목 숨 버렸나 요
어둠 걷 히고 새날 이 되니 - 행 복 이넘쳐 요

예수 안 에는안식이 있 어요 평 안이 넘쳐 요
고통 의 멍에벗어버 리 세요 예 수이 름으 로
이전 에 없던평안을 얻 으니 찬 송이 넘쳐 요

십자 가 보혈 믿는 자 - 마다 구 원을 받아 요
마음 문 열고 주님 맞으 세요 기 쁨이 넘쳐 요
샘솟 는 기쁨 전해 주 - 어요 예 수이 름으 로

예 -수믿으 세요 - 예 -수믿으 세요 -

예 -수믿으 세요 - 예수믿 으세 요 당신
예수

요 주를 믿는자그는 행복해요 – 영원 한 생명 얻으 니 하나

님 나라 그의 것이 라 – – 어서 예수믿 으세 요 주를 요

A

435 똑바로 보고 싶어요

최원순

똑바로보고싶어 요 주님   온전한눈 짓으로
똑바로걷고싶어 요 주님   온전한몸 짓으로

똑바로보고싶어 요 주님   곁눈질하긴싫어 요
똑바로걷고싶어 요 주님   기우뚱하긴싫어 요

하지만내모습은 온전치않아   세상이보 는눈 은

마치날죄인처럼 멀 리하며   외면을하네 요

주님 이낮은 자를통하여   어디에쓰 시 려고

이 렇게 초라한 모 습으로   만들어놓으셨나 요

당신 께 - 드릴것 은   사모 하는 - 이마음 뿐

똑바로 보고 싶어요

이생명도 - 달라시 면   십자 가에 - 놓겠으 니

허울뿐인육신 속에 - 참빛을 심게하시 고

가식뿐인 세상 속에 - 밀알로 썩게하소 서

436 들어오라 지성소로

(거룩하신 주님께 나오라 / Come into the Holy of Holiness)

John Sellers

들어오라지성소로 - 오 라 - 어린양의보혈로써 -

찬양하며주님앞에 -나와- 보좌앞에경배하세 - -

왕의 왕 주께 - 거룩한-손들 고

경 배 해 - 주 님 께 -

경 배 해 - 주 님 께 -

마라나타

고형원

마라나타 - 주예수여 - 어서 오시옵 - 소 서

땅의 모든 끝 모든 족속 주를 찬송하 - 게 하소서 -

마라나타 - 주예수여 - 어서오시옵 - 소 서

모든 열방 이 주께 돌아 와 춤추며 경배하 - 게

하소서 - 우리주님 다시오실 길을 만들자 - 십자

가를 들 - 고 땅끝까 - 지 우린가리라 - 우리주님 하늘영광

온 땅 덮을 때 - 우린 땅끝에 - 서 주를맞 - 으 리 - 마라나타

- - 마라나타 - 아멘 주예수 - 여오시옵 - 소 서 - 마라나타

- - 마라나 타 - 아 멘 주예수 - 여오시옵소 서

A

438

많은 사람들

(예수가 좋다오)

김석균

많은-사람들 - 참된 진리를모른채 - 주님곁을
무거운짐진자 - 다 - 내게-로오라 - 내가너를
그대-가만일 - 참된 행복을찾거든 - 예수님을

떠나갔지만 - - 내가만난주-님은 - 참
쉬게하리라 - - 이길만이생명의길 - 참
만나보세요 - - 그분으로인-하여 - 참

사랑-이었고 - 진리였고 소망이었소 - -
복된-길이라 - 항상내게 들려주셨소 - -
평안을얻으면 - 나와같이 고백할거요 - -

난 예수가좋 다오 - - 난 - -

예수가좋 다오 - - 주를 사랑 한 다던 -

베 드로고백처럼 - 난 예수를사랑한다 오 -

멀고 험한 이 세상 길 *439*

(돌아온 탕자)

김석균

멀고험한 – 이세상길 소망없 는나그네 – 길
무거운짐 – 등에지고 쉴곳없 어애처로운몸
눈물로써 – 회개하고 아버지 의품에안기어

방황하고 – 헤매이며 정처없 이살 – 아왔 네
쓰러지고 – 넘어져도 위로할 자내겐없었 네
죄악으로 – 더럽힌몸 십자가 에못 – 박았 네

의지할 곳없 는이몸 위로받 고살 고파 서
세상에 서버림받 고 귀한세 월방 탕하 다
구원함 을얻 은기쁨 세상에 서제 일이 라

세상유 혹따 라가다 모든것 을다 잃었 네
아버지 를만 났을때 죄인임 을깨 달았 네
영광의 길허 락하신 내주예 수찬 양하 네

A

440 모든 민족과 방언들 가운데

(Hallelujah to the Lamb)

Debbye Graafsma & Don Moen

모 든민족과방언들 가운데 수 많은주-백성 모였- 네
어 린양피로씻어진 우리들 은 혜로주- 앞에 서있- 네

주의-보 혈과 그사랑-으 로 친백-성 삼 -으셨네
주이-름 으로 자녀된-우 리 겸손-히 구 -하오니

주를향 한 감사와-찬 양-을 말로다 표현할수 없네- -
주의능 력 우리게-베 푸-사 주를더 욱닮게하 소서- -

다만 -내 소리높여- 온 맘을다해 찬 양 -하리라-
그때 -에 모든나라- 주 영광보며 경 배 -하리라-

할렐 루야 할렐루야 할렐 루야 어린양 할렐 루야 할렐루야

주의 보혈덮 으사- 모든 족속 모든방언 모든 백성 열방이

모든 영광 모든존귀 모든 찬양주께드-리네 -

A

441 모든 능력과 모든 권세

(Above All)

Lenny LeBlanc & Paul Baloche

모든능-력-과 모든권--세- 모든것-위-에뛰어

-나신-주님- 세상이 측량-할수-없는-지혜---로

모든만-물창-조하-셨네- 모든나- 라-와 모든보-

-좌- 이세상-모든-경이-로움-보다- 이 세상

모든-값진-보물-보다---- 더욱귀-하신-나의-주님

-십 자가- 고통당-하사 버림 받고- 외

면당하-셨네- 짓밟힌 장미꽃-처럼---

나를-위해- 죽으셨네- 나의-주

무화과 나뭇잎이 마르고 442

(Though the fig tree)

Tony Hopkins

무화과 나뭇잎이 - 마르고 - 포도 열매가없 으며 -

감람 나무열매 그 치고 논밭에 식 물이없 어도 -

우리에 양떼가 없 으며 외양간 송 아지없 어도 -

난 여호와로 즐거워하리 난 여호와로 즐거워하리

난 구원의하나 님을 인해 기뻐하 -리라 -

A

443 민족의 가슴마다

(그리스도의 계절)

김준곤 시, 박지영 정리 & 이성균

민족의- 가 슴 마 다 피묻 은 그리스도를- 심 어 이땅

에푸르고-푸른- 그리 스도의계절- 이- - 오게하소 서 서

이땅에- 하나님 - 의나라가- 이뤄 지 게하옵- 소 서

모든 사 람의마 - 음과- 교회 와가정 - 에도- -하나님 나라가-

임 하게 하여주-소-서- 주의 청 년들이 예수의 꿈 을꾸고-

인류 구원의- 환 상을 보게하-소-서- 한 손엔 복 음들고-

한손엔사랑을들고- 온땅 구석구석누비-는 나라 -되게하소 서

서 이땅 구석구-석에-서 - 예수를주로 고백 하게하-소-서-

민족의 가슴마다

하늘의뜻이땅에 이뤄주 – 소 – 서 – 주의 나라 – 되게하소 – 서 – –

주의 청 년들이 – 예수의꿈 을꾸고 – 인류 구원의 – 환상을

보 게하 – 소 – 서 – 한손엔 복 음들고 – 한손엔 사 랑을들고 –

온 땅 구 석 구 석누비 – 는 나 라 – 되게하 소 서

A

444

믿음따라
(I walk by faith)

Chris Falson

믿 음 따 - 라 - 걸 음 마 - 다 -

말 씀 따 - 라 - 주 님 만 따 르 - 리 - 믿

Fine

나 의 가 는 길 - - 믿 음 따 라 갈 - 때

군 대 가 날 에 워 싸 - 도 겁 없 네 -

또 내 입 술 의 기 - 도 믿 음 의 선 포 -

주 님 날 위 하 시 - 면 누 가 날 대 적 하 - 리 믿

사망의 그늘에 앉아

(그날)

고형원

445

사망의그늘에앉 아   죽어 가는 나의백성 들

절망 과 굶주림 에 갇힌저들은   내마음의 -오랜슬 픔

고통의멍에에매 여   울고 있는 나의자녀 들

나는 이제일어나-저들의 멍에를꺾고   눈물씻기기 - 원하는 데

누가내게부르 - 짖 어   저들을구원케 - 할 까

누가나를위해 - 가 서   나의사랑을전 - 할 까

나는 이 제 보기원하 네   나의 자녀들- 살아나는- 그 날

기쁜 찬 송 소리하늘 에   웃음 소리온- 땅가득한- 그 날

A

446

새 힘 얻으리

(Everlasting God)

Ken Riley & Brenton Brown

새힘얻으리주 -를바랄때 주 -를바랄때우리주
-를바랄때 -를바랄때주 님 - 통치 -하시 - -
네 소망 - 구원 -주시 - - -는 - -

당신은영 -원하신주 - 내영 -원하신 주
약한자방 -패되시며 - 위로 -자되신 주

- 지치 -지않으 시 는 주님- 시 네-
- 독수 -리같은 힘 주

선포하라

(All heaven Declares)

Noel Richards & Tricia Richards

선 포 하 라　부활하신영 광 의주
선 포 하 라　부활하신영 광 의주

아 름 다 운　영광의주 를 보라
하 나 님 과　화목하게 하 신주

보 좌에앉으 신　그어린양예 수
찬 송과존귀 와　영광과능력 을

다무릎꿇고 서　주경배하리 라
영원영원토 록　받아주옵소 서

A

448 아름답고 놀라운 주 예수
(I stand in awe)

Mark Altrogge

아름 답고놀라운 주예 -수 - 말 로 할수- 없네 -

그 측량할수없 는위 -엄 - 주 님과같은분없 네 -

한 없 는 그지혜와사 -랑 그누 구도 다알수없네 -

아름 답고놀라운 주예 -수 보좌에 - 앉으- 셨네 -

주님앞 에내 가 서있네 - 주 앞 에내 가 서있네 -

주는 거 룩하 신하나 님 그앞 에서 있 네

아버지여 당신의 의로

449

(새벽 이슬 같은)

이 천

아버지여 - 당신의의 -로- 부르소 -서 - - 예수님이 -여 -

주의보혈 -로- 덮으소 -서 - - 거룩하신 - 성 령님이여 -

권능으로 -임하소서 - - 거룩 한 옷을입고 - 즐거

이 헌신하는 - - 주님의 백성들에 게 - - - - 주

여 함께 하 소 서 새 -벽이슬같 -은 -주의청 년 들이 -

주님앞 에 나오는 도다 - - 주님의 이름으 -로 - 축복하여

- -주소서 - 주의 빛을발 -하게 하 소 서 - 세상을구원

Fine

A

하시려 -아들 을주신 - - 하나 님아버지 - 각나라와족속과 -모든

백성 -들의 - 찬양 을받으 -소서 - 높임 을 받으 -소 서 -

D.S. al Fine

450 영광의 주님 찬양하세

(영광의 주 / Majesty)

Jack Hayford

A　D/A　A　3　D　Bm7

영 광의 – 주님찬 양 하세 –

A　A/G♯　F♯m　B　3　Bm　E7

모 든 영광 능력찬 송 예수님 께 –

A　D/A　A　3　D　Bm7

영 광의 – 주님찬 양 하세 –

3　A　E7　3　E7　3　A　D/A　A

주 의백성 모두함 께 찬양하 세 – –

Bm　3　E7　A　D/A　A

두 손 을 높이들 고 주이름 찬 양 –

Bm　3　E7　3　C♯7　E　D/E　E7

존 귀 와 영광모 두 주예수님 께

A　D/A　A　3　D　Bm7

영 광의 – 주님찬 양 하세 –

3　A　E　3　E7　3　A　D/A　A

죽 으시 고 부활하 신 만왕의 왕 –

예수 나의 첫사랑 되시네 451

(Jesus, You alone)

Tim Hughes

예수 나의 첫사랑 되시 -네- 내 첫-사랑- 지

존 자 되 신 그 리 스 도 예 -수- 찬 양 - 하 리 -

보 좌 앞 에 나 의 삶 이 향 기 로 운 제 사 로

주 께 드 려 지 기 원 하 네 - 오 직 주 만 바
나 의 온 전 한

- 라 보 - 며 나 의 삶 을 드 - 리 네 - - 다 른 길 은 찾
- 열 정 - 과 나 의 찬 양 되 - 시 네 - - 주 의 길 을 따

1. A/F# A/E D Esus4
2. A/F# A/E D D/E E7(A)

- 지 않 - 으 리 - - 라 가 - 리 라 -

A

452 예수님 찬양

Charles Wesley & R.E.Hudson

예수 열방의 소망
(Hope of the Nations)

453

Brian Doerksen

예수 열방의소-망- 예수 우리의위-로-자
예수 어둠속의-빛- 예수 변함없는-진-리

주는 - 온땅 - 의영 - 원한 소망 -
주는 - 온땅 - 의빛 - 이되 시네

- 우리 - 위해 죽으 - 시고 다시 - 사신

생명 - 의주 - - 주님만이 - 소망이요 -

변함없는 - 반석이라 - 주님만이 - 온세상을

비 추 - - 시네 - - - 또죽음에서 - 부활하신

- 우리구주 - 평강의왕 - 주를믿는 - 모든자의

- 소망 - 되신 - 주를 - - 믿네 -

A

454 예수 우리 왕이여

(Jesus, we enthrone You)

Paul Kyle

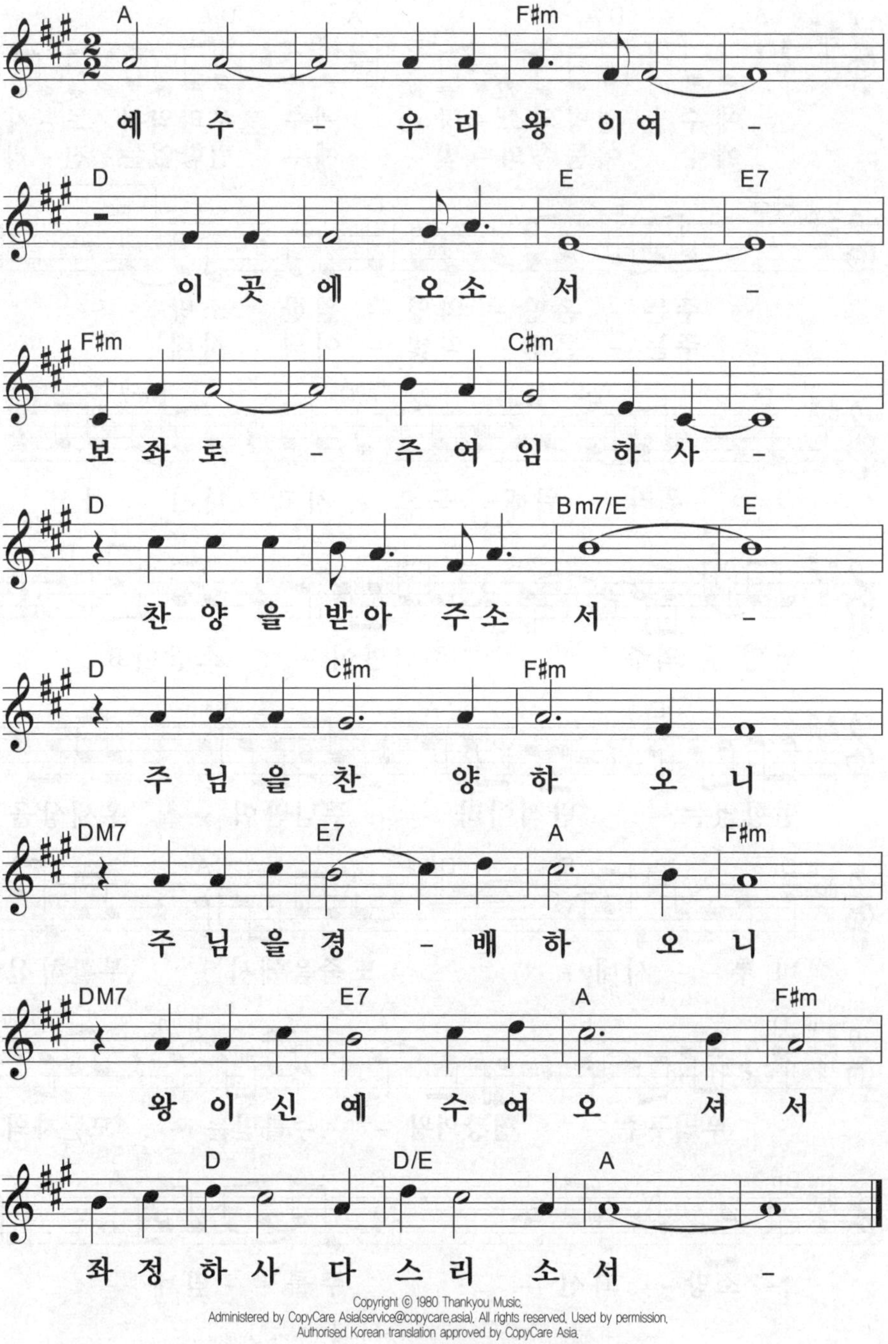

A F♯m
예 수 – 우 리 왕 이여 –
D E E7
이 곳 에 오 소 서 –
F♯m C♯m
보 좌 로 – 주 여 임 하 사 –
D Bm7/E E
찬 양 을 받 아 주 소 서 –
D C♯m F♯m
주 님 을 찬 양 하 오 니
DM7 E7 A F♯m
주 님 을 경 – 배 하 오 니
DM7 E7 A F♯m
왕 이 신 예 수 여 오 셔 서
D D/E A
좌 정 하 사 다 스 리 소 서 –

왕 되신 주께 감사하세 455
(Forever)

Chris Tomlin

왕　되신주께– 감 사하–세– 그 사 랑 영원하리 –라–
력의손과– 펴 신팔–로– 그 사 랑 영원하리 –라–
해　뜨는데서–지는데까–지– 그 사 랑 영원하리 –라–

모든것위 –에뛰어 나신–주– 그 사 랑 영원하리 –라–
거듭난영 –혼들을 위하–여– 그 사 랑 영원하리 –라–
주은혜로 –우리걸 어가–리– 그 사 랑 영원하리 –라–

찬 양 － 찬 양 － 능

－ 찬 양 － 찬 양 －

영원 －히신 –실하 –신– 능력 –의하 –나 님 －

영원 –히함 –께하 –리 영원 –히 － － 영원

－히 － 영원 －히 － 영원 –히 －

A

456

우리는 사랑의 띠로
(The Bond of Love)

Otis Skillings

우리 는 사랑의 띠 로　하나 가 되었습 니 다

하나 님 을 사랑하고 예수 님의 사랑 을 널리전 하 세

Fine

모두 찬 양 하 며　주의 사 랑을전 하 세

모두 함 께 예수님의 사랑 – 을 세상 에 널리알 리 세

D.C.

우리 보좌 앞에 모였네 457

(비전 / Vision)

고형원

우리 보 좌앞에 모 였네   함께주를찬양-하 며

하 나님의사랑그 아들주셨네 그의피로우린 구원받았 네

십자 가 에서쏟으신그 사랑   강같이온땅에- 흘 러

각 나라와족속 백 성방언에서 구원받고주 경배드리 네

구 원하심이-보 좌에앉으신 우 리하나님과 어 린양께있도다

구 원하심이-보 좌에앉으신 우 리하나님과어 린양께있도 다

A

458

우리 오늘 눈물로

(보리라)

고형원

우리 죄 위해 죽으신 주 459
(Thank you for the cross)

Mark Altrogge

우리죄위해 - 죽으 - 신주 - 십 자가그사랑 - 감 - 사하

네 날 마 다주의형상대로 변화 되리라 -

십 자가우 - 릴새롭게하 리 놀라 운사랑 -

찬양하 - 리라 우 리를위해 생명주셨 - 네 -

놀라 운사랑 - 찬양하 - 리라 십자

가 의그능 력 십자 가의그능 력

A

460 우물가의 여인처럼

(Fill my cup Lord)

Richard Blanchard

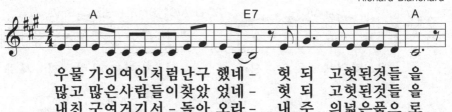

우물 가의여인처럼난구 했네 — 헛 되 고헛된것들 을
많고 많은사람들이찾았 었네 — 헛 되 고헛된것들 을
내친 구여거기서 — 돌아 오라 — 내 주 의넓은품으 로

그 때 주님 — 하신 말씀 — 내샘에 와 생수를마셔 라
주 안 에감 — 추인 보배 — 세상것 과 난비길수없 네
우 리 주님 — 너를 반겨 — 그넓은 품 에안아주시 리

오 — 주님 — 채우 소서 — 나의 잔 을높이듭니 다

하늘 양식 내게채워 주 소 서 넘치 도 록 — 채워주소 서

유월절 어린양의 피로

(Under the blood)

461

Martin Nystrom & Rhonda Gunter Scelsi

유월 절어린양 - 의피 로 나의 삶의문이 - 열렸 네 -

저 어둠의권 - 세는 힘이없네 주 보혈의능 - 력으로 - -

원 수가날정죄할 때 - 도 난 의롭게설수있 네 -

난 더이상정죄함 없 - 네 난 주보혈아 - 래있네 -

난 주보혈아 - 래있네 - 그 피로내죄 - 사 했 - 네 -

하 나 님의긍휼 날 거룩케하시었 네 -

난 주보혈아 - 래있네 - 난 원수의어 - 떠한 공격에도

더이상넘 어 지지않네 난 주보혈아 - 래있네 - -

A

462 이 땅의 황무함을 보소서

(부흥)

고형원

이땅의황무함을 보소서 - 하늘의 하나님 - 긍휼을 베푸시는주여

우 리의죄악용서 하소서 - 이 땅 고쳐 주소 서

이제우리모두하 나되어 - 이땅의 무너진 - 기초를 다시쌓을때

우 리의우상들을 태우실 - 성령의불 - 임하소 서

부흥의불길 - 타오르게 하소서 - 진리의말씀 - 이땅새롭게 하소서 -

은혜의강물 - 흐르게 하소서 - 성령의바람 - 이제불어 와

오 - 주 의 - 영광가 득한 새 날주소 서

오 - 주 님 - 나 라 이 땅에 임 하소 서

전능하신 나의 주 하나님은 *463*

(Nosso Deuse poderoso)

Alda Celia

전능 하신나 - 의주 - 하나 - - 님은 - 능치 못하실 - 일전 혀 -

없 - 네 - 우리 의모든 - 간구 - - 도 우리 의모든 - 생각 - - 도 우리

의모든 - 꿈과 - 모든 - 소망 - - 도 - 신실 하신나 - 의주 - 하나 - - 님은

- 우리의 모든괴 - 로움 - 바꿀 - 수 - 있 - 네 - 불가

능한일 - 행하 - 시고죽은 자를일 - 으키 - 시니그를 이길자 - 아무 - 도없 - - 네

- 주의말씀 의지 하여 - 깊은곳에 그물던 져 - 오늘

그 가놀 - 라운 - 일을 - 이루 - 시는 - 것보라 - 주의말씀

의지하여 - 믿음으로 그물던져 - 믿는 자에겐 - 능치 - 못함 - 없네 -

464 주가 보이신 생명의 길

박정은

주가 보이신 - 생명 의 - 길 - 나 주님과 함께 -

상한 맘을 드리며 - 주님 - 앞에 - 나 - 가리 -

나의 의로움 - 이 되신주 - 그 이름 예수 -

나의 길이되 - 신 이 - 름 - 예 - - - 수 -

나의 길 오직그 - 가 아 - 시나니 - 나를

단련하신 후 - 에 - - 내 가 -

정금 같 이 나 - 아 오 리 라 -

주께 가까이 날 이끄소서 465

Adhemar de Campos

주 께 가까이 - 날 이 끄소서 - - -

간 절히주 - 님만 - 을원합니 - 다 - - 채 워주소서 -

주 의 사랑을 - - - 진 정한찬 - 양드 - 릴수있도 - 록

목 마 - 른 나 의영혼 - 주 를 부르니 - -

나 의맘 - 만져 - - 주 - 소서 - - 주님만을 원 합니다 -

더 원합니다 - - 나 의맘 - 만져 - - 주소 - 서 -

A

466 주께 가오니

(The power of Your love)

Geoff Bullock

주께 가오니

독　수리 - 날개쳐올라 가　- - 듯 나주님과함 께

일 어나걸으 리 주의사랑안에 - - - -

A

467 주님같은 반석은 없도다

(만세 반석 / Rock of Ages)

Rita Baloche

주님같은 반석은없 – 도다   찬 양받기

합 당하신 – 이 름 –   변 치않으시 – 는

구 원의반석 – 신 실하시고 – 진실하 – 신주

주님같은 반석은없 – 도 다

만세반 – – – 석   예 수내 – 반 – 석

만세반 – – – 석   예 수내 – 반 – 석

주님같은 반석은없 – 도 다

주님 곁으로 날 이끄소서 *468*

(Draw me close to You)

Kelly Carpenter

주님곁 - 으로 - 　　날이끄 - 소서 -
나의참 - 소망 - 　　그무엇 - 과도 -

내모든것 - 다드 - 리며 - 　주음성듣 - 기원 - 하네 -
바꿀수없 - 는주 - 사랑 - 　그품안에 - 나안 - 기리 -

주님의 - 길로 - 　　인도하 - 소서 -

주님 - 만이 - 　　내모 - 든것 - 되시 - 니 -

주님 - 만을 - 　　더알게하 소서 -

A

469 주님 나라 임하시네

고형원

주님 나 라 임 하 시 네 - 주의 날은 멀 지 않 았 네

너는 일 어 나 주를 따 - 르 라 하나님 널 부 르 - 시 네

세상 은 아직 어둠 속에 - 빛 되 신 주 보 기 원 하 네

너는 일 어 나 그 빛을 발 - 하 라 주님의 영 광 네게 임 - 했

네 일어나 주 위해서라 - 강한 용 사 - 여 - 주님이 너 와 - 너와

함께 하 - 시 네 주께서 다 시 오실 길 - 그 길 예 비 하 - 라 -

영광의 주님 - 오 만 왕 의 왕 곧 오 시 네 -

주님 당신은 사랑의 빛 470

(비추소서 / Shine Jesus, Shine)

Graham Kendrick

주 님 당신은 사 랑의 - 빛 어 둠가운데 비 추소 - 서

세 상의빛 예수 우 리를비추사 당 신의진 리로 우리를자유케

비 추 소 서 우 리 위 에

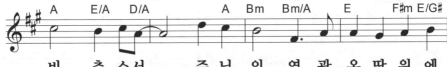

비 추 소서 - 주님 의 영광 온땅위에

부 으소서 - 내게 성 령의 불을

넘 치소서 - 은혜 와 긍휼 을 열방중에

전 하소서 - 빛 되 신 주의 말 씀

A

471 주님 보좌 앞에 나아가

(신실하신 하나님 / Lord I Come Before Your Throne Of Grace)

Robert Critchley & Dawn Critchley

주 님 보좌앞- 에 나아가 참된 안식과기쁨 - 나 누리 - 겠네
기 도들으시 - 는 하나님 폭풍 속에내등불 - 내 노래 - 시라

경 - 배하 - 며주의얼 - 굴 구 할 때 신실 하신주 - 님찬 양 해
주의 날개 - 아래서내 - 맘 쉬 리 니 신실 하신주 - 님찬 양 해

신실하 - 신 하 나님 - - 신실하 - 신 -주 -

나의주 - 하 나 님은 - 신실 - 하신 주 님

Fine

평 화 내려주 - 신 하 나 님 나로 고통받 - 는자 - 를

위로 하게하 - 소서 나의 평생에 - 주의 사랑 을 전하

D.S. al Fine

리 신실 하신주 - 님찬 양 해 신실하 - 신

주님은 내 삶에

(예수 만물의 주 / Lord over All)

Gary Sadler

472

473

주님은 아시네

(King of Majesty)

Marty Sampson

주님은 아시네 주 사랑 하는 맘
내 마음 다하여 주님께 고백해

이 전보 - 다 더 - 주 님 - 알 기 원 - 해 -
주 님만 - 위 해 -

내 삶 - 드리 기 - 원 해 위 대 하 - 신 왕

- 내 맘의 - - 한 소 - 망 언제나 - 주와 - 함 께

- 언 제 나 - 주 와 - 함 께 -

예 수 나 의 영 혼 의 구 세 - 주

영 원 무 궁 히 주님만 을 나 찬 양 - 하 리

주님이 주신 땅으로

(이 산지를 내게 주소서)

홍진호

475 주님 큰 영광 받으소서

(Jesus shall take the highest honor)

Chris Bowater

주님 큰영광받 - 으 소서 - 홀로찬양받으 - 소 서

모든 이름위에 - 뛰어 난그이름 - 온 땅과하 - 늘이다찬 - 양 해

겸손하 - 게우리무 - 릎 꿇고 - 주 이름앞 - 에영광돌 - 리 세

모 두절하세 - 독생 자예 - 수 - 주님께 - 찬양드 - 리 리 모든

영광 과존귀 와 능력 - 받으소서 - 받으소서 -

그리 스 도 살아계신 - 하나 님 -

주 앞에 나와 제사를 드리네 *476*

(온전케 되리 / Complete)

Andrew Ulugla

주 앞에 나 와 – 제사를드 – 리네 – 마음열

어 – 내삶을드 – 리네 – 주를봅니 다

– 끝없는사 랑나 – – 회복시 – 키네 – 이제

눈 들어 – 주보네 – 그능력 날새 롭
속 에도 주붙 들고 – 믿음으 로주 와

게 해주님 의 – – 사랑날 – 만 – 지시니 – 내
건 네갈보 리 – 언덕너머 – 그 – 어느날 – 주

모든두 – 러움사라지 네 폭풍 안에온전케되 리

A

477 주 여호와는 광대하시도다

(Great is the Lord)

Steve McEwan

주 -여호 와는광대하시도 다 그 거룩한하나님성 – 에 서

찬 양할 지 – 어 다 –

주 –승리 우리에게주셨도 다 모 든원수물리치 – 셨 네

엎 드려 절 – 하 세 –

다 주의크 – 신이 – 름높이 며 우 리에게 – 행하 – 신

위대 한일감 – 사하 – 세 오 주의신 – 실하 – 신그사 랑

온 땅과하 – 늘위에계 – 셔 홀로영원하신 이 름 – –

주의 도를 버리고

(성령의 불로 / Holy Spirit)

Stephen Hah

주 의도를버리 고　　헛된 꿈 을좇던우리 들
심 한고난을받 아　　살소 망 까지끊어지 고

거 짓과 교만 한 마음을　용 서하여주소 서
죽 음과 같은 고 통에서　주 를보게하셨 네

하 나님의긍휼 로 부끄 러 운 우리삶 - 을 덮어주소서 -
용 서받을수없 는 나를 위 해 십자가 - 에 달리셨으니 -

우리의 - 소망　　우리의 - 구원　주 께간구합니 다
주사랑 - 에서 그 어느누 - 구도　끊 을수는없으 리

성 령의 - 불 로　　나 의 맘을태워 주소서 -

성 령의 - 불 로　　나의 영혼 새롭게하소 서

A

479 주의 집에 영광이 가득해

(Redeemed)

John Barnett

주의 - 집 - 에 - 영 - 광 - 이가 - 득해 주의 - 집 - 에 -

영 - 광 - 이가 - 득해 주의 - 집 - 에 - 찬 - 양 - 이가 - 득해

주의 - 집 - 에 - 찬 - 양 - 이가 - 득해

주나 - 를구원 - 했 네 영광 돌 리 세

주나 - 를구원 - 했 네 찬양 드 리 세

주나 - 를구원 - 했 네 와 서 경 배 해

영원 - 히 (영원히 -) 영원 - 히 (영원히 -)

주 하나님 독생자 예수 *480*

(하나님의 독생자 / Because He Lives)

Gloria Gaither & William J. Gaither

주하나 님　독생자 예 수　날위하 여
주안에 서　거듭난 생 명　도우시 는
그언젠 가　주뵐때 까 지　주를위 해

오시었 네　내모든 죄　다사하 시고
주의사 랑　참기쁨 과　확신가 지고
싸우리 라　승리의 길　멀고험 해도

죽음에 서 부 활하신 나 의구세 주
예수님 의 도 우심을 믿 으며살 리
주님께 서 나 의앞길 지 켜주시 리

살아계신 주　나의참된 소 망　걱정근 심

전혀없 네　사랑의 주 내　갈길인도 하 니

내모 든 삶 의기쁨 늘 충만하 네

A

481 지금 우리는 마음을 합하여

(일어나 새벽을 깨우리라)

조동희

지금은 엘리야 때처럼

(Day of Elijah)

Robin Mark

483 찬양이 언제나 넘치면

김석균

찬양이 언제나 넘치면- 은혜로 얼굴이 환해요-
감사가 언제나 넘치면- 은혜로 얼굴이 환해요-
사랑이 언제나 넘치면- 은혜로 얼굴이 환해요-
기도가 언제나 넘치면- 은혜로 얼굴이 환해요-

성령의 충만한 모-습을- 서로가느-껴요

할렐루 할렐루 손뼉치-면서 할렐루 할렐루 소리외-치며

할렐루 할렐루 두손을-들고 주님을찬양해요

찬양하세
(Come let us sing)

484

Danny Reed

찬 양하세 - 찬 양하세 - 왕 께

소 리높- 여 찬 양드 리세 - 찬 양드- 리 세

찬 양받 기에 합 당 하신주 님 -

언 제 나 동 일하신 주 -

무 릎 꿇 고 서 주이 름 외 치 세

예 수 나 의 왕 예 수 나 의 왕

예 수 나 의 왕 아 멘 -

A

485

평강의 왕이요
(I extol You)

Jennifer Randolph

평강의 - 왕이요 - 자비의 - 하나님 -

만군의 - 주시요 - 다시오 - 실 영원하신왕 -

주를 찬 - 양주님을 찬 - 양 온땅 위에높 - 으신 -

주를 모 든만 - 물찬양주를 찬 - 양주님을

찬 - 양 나의 여 호 와께찬 - 양

하나님 어린 양
(Lamb of God)

Chris Bowater

하 나 님 - 어 린 양 - 독 생 자 - 예 - 수 -

날 위 해 - 죽 으 신 - 주 님 -

주 흘 리 신 - 그 보 혈 이 - 나 의 죄 를

정 결 케 하 네 - 내 영 을 - 고 치 시 네

송 축 하 리 라 - 화 목 케 하 신 주 -

나 의 모 든 죄 - 깨 끗 케 하 셨 네 -

송 축 하 리 라 - 귀 하 신 어 린 양 -

모 두 절 하 고 - 모 두 외 치 리 라 -

A

487 하나님은 우리의 피난처가 되시며

(너희는 가만히 있어 / Psalm 46)

Stephen Hah

하 -나님은 우리의- 피 -난처가 되시며-

환 -난중에 우리의- 힘 -과도움 이시라-

너 희는가만히 있 -어 - 주 가하나님-됨 알찌-어다

열 방과세계가 운 -데- 주가 높임을- -받으리 라

사 랑합니다내 아버지- 찬 양합니다- 내 온맘다하여

선 포합니다예 수그리스도 주님 오심을- -기다리 며

하나님의 사랑을 사모하는자 *488*

(주만 바라 볼지라)

박성호

하나 님의 사 – 랑을 사모하는자 하나 님의 평 – 안을
님께 찬 – 양과 경배하는자 하나 님의 선하심을

바라보는자 너의 모 든것창조하신 우리주님이
닮아가는자 너의 모 든것창조하신 우리주님이

너를 얼마나사랑하시는 지 하나 자녀삼으셨 네

하나 님 사랑 의 눈으로 – 너를 어느때나바라보시 고

하나 님 인자 한 귀로써 – 언제 나너에게기울이시 니

어두 움에 밝은빛을 비춰주시고 너의 작 은신음에도 응답하시니

너는 어느곳에 있 – 든지 주를향하고 주만 바라볼 찌

라 하나 라주만 바라 볼 찌라 –

489 하늘 위에 주님 밖에

(주는 나의 힘이요 / God is the Strength of My Heart)

Eugene Greco

하늘위 에주 -님- 밖에 -

내가 사모할자 -이세상 -에 -없 -네 -

내 맘과힘 은 믿 을수 -없 네 -

오 직한 가 지 그 진 리 를 -믿 네 주 는 나 의

-힘 이 요 -주 는 나 의 -힘 이 요 -주 는 나 의

-힘 이 요 -영 원 히 -주 를 의 지 -하 리

주 는나의 영 원 --히 -

하늘의 문을 여소서

(임재)

조영준

하늘의문을여 소서 - 이곳을 주목하소서 - 주를

향한노래가 - 꺼지 지않으니 - 하늘을열고보 소서 -

이곳에 임재 하 소서 - 주님을 기다립니다 - 기도

의 향기가 - 하늘 에 닿으니 - 주여임재하여 주 소서

- 이 곳에오셔 서 - 이곳 에앉으 소서 - 이곳에서 드

리는 - 예배를받으소 서 주님의이름 이 - 주님의이름

만이 - 오직주의이 름만 - 이곳에있습니 다 이곳에오셔 다

A

491 햇빛보다 더 밝은곳

햇빛보다다더밝은곳 내집 있네 햇빛보다다더밝은곳 내집 있네
예수믿고구원됐네 예수 믿어 예수믿고구원됐네 예수 믿어
예수님은다시오네 다시 오네 예수님은다시오네 다시 오네

햇빛보다더밝은곳 내집 있네 - 푸 른하늘저 편
예수믿고구원됐네 예수 믿어 - 예 수믿으시 오
예수님은다시오네 다시 오네 - 우 리데려가 리

내주 여내주 여 날들으소서 내주 여내주 여 날들으소서

내주 여내주 여 날들으소서 - 푸 른하늘저 편

형제여 우리 모두 다 함께 492

정종원

493 내 안에 주를 향한 이노래

(아름다우신)

심형진

내 안에 - 주를향 한 이 노래　영원한노래있으 니
십 자가 - 그사랑 찬 양 하 리　날구원하신그사 랑

날 향한 - 주님의 크 신 사 랑　영원히찬양하리 라
내 삶을 - 드려찬 양 하 리 라

놀라우신주의사 랑　영원히찬양하리 - 라 - 아름다

우 - 신 - 오놀라우 - 신 - 형언할 - 수없는 - 사 랑 - 오 위대

하 - 신 - 하 나님 의사랑　영원 히 찬양 - 하리 -

- 주와 같은분 - 은 없 - 네 이세상 - 그누 - 구도 - 주와

같은분 - 은없 - 네 - 누구도 - 비길수 - 없네 - 주와 - 아름다

내 삶의 소망

(예수 닮기를)

심형진

494

B

495 주 발 앞에 나 엎드려

(오직 예수 / One Way)

Joel Houston & Jonathon Douglass

주발앞에나 엎드려 주만간절 히원해
언제나어 디서나 크고깊은 은혜로

주 계신곳나 바라봅-니 다 - -
주 님항상내 안에계-시 네 - -

근 심속에주 찾을 때 -모든필요내 려놓고
변 함없으 신주님 - 어제오늘 영원히

겸 손하게 모두 - 드-리 리 - -
한 결같이 함께 - 하-시 네 -

오 직 예 수 주님만이나의 삶의이유

오 직 예 수 주님만이나의 삶의이유

주 발 앞에 나 엎드려

오 직   예 수   주님만이나의 삶 의 이 유

오 직   예 수   주님만이나의 삶 의 이 유

주 님 은 길 과 진 - 리 생 명 나 는 - 오 직 - 믿 음

- 으 로 - 살 리 -   주 만 - 위 해 - 살 리 -   -

주님만이나의 삶 의 이 유   -

B

496

주 이름 찬양
(Blessed be Your name)

Matt Redman

내일 일은 난 몰라요 497

(I know who holds my hand)

Ira F. Stanphill

내일 일은 난몰라요 하루 하 루살아 요
좁은 이 길진리의 길 주님 가 신그옛 길
만 왕의 왕예수께서 이세 상 에오셔 서

불행 이 나요행함 도 내뜻 대 로못해 요
힘이 들 고어려워 도 찬송 하 며갑니 다
만백 성 을구속하 니 참구 주 가되시 네

험한 이 길가고가 도 끝은 없 고곤해 요
성령 이 여그음성 을 항상 들 려주소 서
순교 자 의본을받 아 나의 믿 음지키 고

주님 예 수팔내미 사 내손 잡 아주소 서
내마 음 은정했어 요 변치 않 게하소 서
순교 자 의신앙따 라 이복 음 을전하 세

내일 일 은 난몰라 요 장래 일 도몰라 요
내일 일 은 난몰라 요 장래 일 도몰라 요
불과 같 은 성령이 여 내맘 에 항상계 셔

아버 지 여날붙드 사 평탄 한 길주옵소 서
아버 지 여아버지 여 주신 소 명이루소 서
천국 가 는그날까 지 주여 지 켜주옵소 서

B

498 목적도 없이

(험한 십자가 능력있네 / The old rugged cross made the difference)

William J. Gaither

목적도 없이 나 는방황 했네 - -

소망도 없 이 살았네 -

그때에 못자국난 그 손길 - -

나에게 새생명 주 셨 네 -

험한십 - 자가에 - 능력 있네 -

거기서 나의삶이 변했네 -

찬양하 -리 주이름 영원 -히 -

주의십자 가능력 있네 -

나는믿네 갈보리언덕 십 -자가 -

목적도 없이

나는 믿 네 그 누가 뭐 라 해도 -

이 세 상 다 지 나 고 끝 날 이 와 도

험 한 십 자 가 붙 들 겠 네 -

나는 믿 네 십 자 가 에 서 못 박 힌 주

오 늘 도 새 삶 을 주 시 네 -

날 새 롭 게 하 셨 네 나 는 새 피 조 물

십 자 가 잡 고 살 아 가 리 -

나는 믿 네 갈 보 리 언 덕 십 자 가 - 나 는 믿

- 험 한 십 자 가 붙 들 겠 네 -

B

499 이제 내가 살아도
(사나 죽으나)

최배송

감당 못 할 고난이 닥쳐와도 *500*

(내가 승리 하리라)

김석균

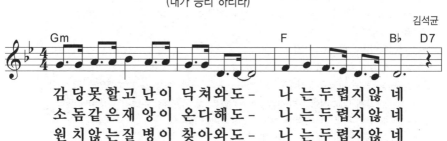

감 당 못 할 고 난 이 닥 쳐 와 도 - 나 는 두렵지않 네
소 돔 같 은 재 앙 이 온 다 해 도 - 나 는 두렵지않 네
원 치 않 는 질 병 이 찾 아 와 도 - 나 는 두렵지않 네
부 귀 영 화 명 예 가 떠 나 가 도 - 나 는 두렵지않 네

여 호 와 의 손 잡 고 일 어 나 - 반 드 시 승 리 하 리 라
여 호 와 는 내 방 패 이 시 며 - 피 난 처 되 시 는 도 다
여 호 와 의 치 료 의 손 길 이 - 내 몸 을 감 싸 주 시 네
여 호 와 로 인 하 여 감 사 와 - 기 쁨 이 넘 쳐 나 도 다

여 호 와 - 만 군 의 하 - 나 님 이 나 에 게 - 능 력 을 - 주 시 니
여 호 와 - 구 원 의 하 - 나 님 이 나 에 게 - 새 힘 을 - 주 시 니
여 호 와 - 창 조 의 하 - 나 님 이 나 에 게 - 새 생 명 - 주 시 니
여 호 와 - 전 능 의 하 - 나 님 이 나 에 게 - 지 혜 를 - 주 시 니

무 슨 - 일 을 만 - 나 든 지 내 가 승 리 하 리 라
무 슨 - 일 을 만 - 나 든 지 항 상 찬 송 하 리 라
무 슨 - 일 을 만 - 나 든 지 항 상 기 뻐 하 리 라
무 슨 - 일 을 만 - 나 든 지 항 상 감 사 하 리 라

B

날마다 찬미예수 (500곡)

초판 발행일	2017년 5월 1일
펴낸이	김수곤
펴낸곳	ccm2u
출판등록	1999년 9월 21일 제 54호
악보편집	노수정, 김종인
업무지원	기태훈, 김한희
디자인	이소연
주소	서울시 송파구 백제고분로 27길 12 (삼전동)
전화	02-2203-2739
FAX	02-6455-2798
E-mail	ccm2you@gmail.com
Homepage	www.ccm2u.com